Nouveaux Contes de

Rudyard Kipling

Alpha Editions

This edition published in 2023

ISBN : 9789357952064

Design and Setting By
Alpha Editions
www.alphaedis.com
Email - info@alphaedis.com

Contents

LISPETH

Voyez, vous avez proscrit l'Amour! Quels sont ces Dieux auxquels vous voulez que je plaise? Trois Dieux en Un, ou un Dieu en Trois? Ah! que non pas! Moi je retourne à mes Dieux. Peut-être me donneront-ils plus de bonheur que votre Christ froid et ses trinités embrouillées!

(LE CONVERTI.)

C'était la fille de Sonoo, un homme des Collines, et de Jadeh, sa femme.

Une année, leur récolte de maïs manqua, et deux ours passèrent la nuit dans leur unique champ de pavots, juste au-dessus de la vallée du Sutlej, sur le versant de Kotgarh.

Aussi, la saison qui suivit, se firent-ils chrétiens et portèrent-ils leur petit enfant à la mission pour le faire baptiser.

Le chapelain de Kotgarh lui donna le nom d'Elisabeth, qui se prononce «Lispeth» dans le *pahari*, dialecte des Collines.

Plus tard, le choléra sévit dans la vallée de Kotgarh. Il emporta Sonoo et Jadeh.

Lispeth devint, près de la femme de celui qui était alors chapelain de Kotgarh, à demi une servante, à demi une compagne.

Ceci se passait après le règne des missionnaires moraves, mais avant que Kotgarh eût tout à fait oublié son titre de «Maîtresse des Collines du Nord».

Le christianisme porta-t-il chance à Lispeth? Ou bien les dieux de son peuple auraient-ils fait autant pour elle en toute circonstance? Je l'ignore.

Le fait est qu'elle devint très jolie.

Quand une fille des Collines se mêle d'être jolie, elle vaut la peine qu'on fasse cinquante milles en terrain difficile pour la contempler.

Lispeth avait le visage d'une Grecque, un de ces visages comme on en peint si souvent et comme il est si rare d'en rencontrer.

Elle avait un teint pâle, couleur d'ivoire.

Pour sa race, elle était extrêmement grande.

Elle avait aussi des yeux admirables et, si elle n'avait porté ces abominables robes d'étoffe de couleur qu'affectionnent les missions, à la rencontrer à l'improviste sur le versant des Collines on l'eût prise pour la Diane romaine partant en chasse.

Lispeth devint très sérieusement chrétienne. Elle n'abandonna pas cette religion quand elle fut femme, comme le font tant de jeunes filles des Collines.

Ses compatriotes la détestaient parce que, disaient-ils, elle était devenue une *memsahib*[1] et qu'elle se lavait tous les jours.

[1] Abréviation de «Madam Sahib»: une Européenne.

La femme du chapelain ne savait comment l'employer. De quelque manière que l'on s'y prenne on ne peut pas demander à une majestueuse déesse, qui mesure cinq pieds dix pouces, avec ses chaussures, de nettoyer des assiettes et des plats.

Elle jouait avec les enfants du chapelain et suivait les cours de l'école du dimanche. Elle lisait tous les livres que possédait le chapelain, et devenait de jour en jour plus belle, comme les princesses des contes de fées.

La femme du chapelain estimait que la jeune fille devait se placer à Simla comme bonne d'enfants ou dans quelque poste «distingué». Mais Lispeth ne jugea pas utile d'entrer en place. Elle était heureuse comme elle était.

Quand des voyageurs,—il n'y en avait pas beaucoup à cette époque,—venaient à Kotgarh, Lispeth avait l'habitude de s'enfermer dans sa chambre, de peur qu'ils ne l'emmenassent à Simla, ou quelque part dans le monde inconnu.

Un jour, quelques mois après avoir atteint sa dix-septième année, Lispeth sortit pour aller se promener.

Elle ne se promenait pas à la manière des dames anglaises qui s'en vont à un mille et demi de distance et se font ramener en voiture. Elle couvrait entre vingt et trente milles dans ses petites excursions hygiéniques, de droite et de gauche, entre Kotgarh et Narkunda.

Ce jour-là, elle revint à la nuit tombée, descendant la pente en casse-cou de Kotgarh, un lourd fardeau dans les bras.

La femme du chapelain somnolait dans le salon quand Lispeth entra toute haletante et exténuée sous le faix.

Elle déposa sa charge sur le canapé et dit simplement:

—Voilà mon mari! Je l'ai trouvé sur la route de Bagi. Il s'est blessé. Nous allons le soigner, et, quand il sera rétabli, votre mari nous unira.

C'était la première fois que Lispeth faisait allusion à ses intentions matrimoniales.

La femme du chapelain poussa un cri d'horreur.

Cependant, il fallait avant tout s'occuper de l'homme qui était étendu sur le canapé.

C'était un jeune Anglais, et sa tête avait été entamée jusqu'à l'os par quelque chose qui l'avait déchiquetée.

Lispeth raconta qu'elle l'avait trouvé en bas du *Khud*[2]. C'est pour cela qu'elle l'avait apporté à la maison. Il respirait difficilement et était sans connaissance.

[2] Échancrure, creux.

Il fut mis au lit et soigné par le chapelain qui avait quelques connaissances en médecine, et Lispeth attendit derrière la porte, pour le cas où l'on aurait besoin d'elle.

Elle exposa au chapelain que c'était là l'homme qu'elle voulait épouser.

Le chapelain et sa femme la sermonnèrent sévèrement sur l'inconvenance de sa conduite.

Lispeth les écouta paisiblement et répéta ce qu'elle avait dit tout d'abord.

Il faut une forte dose de christianisme pour effacer les instincts incivilisés de l'Oriental, et, en particulier, celui de tomber amoureux à première vue.

Lispeth, qui avait trouvé l'homme qu'elle adorait, ne voyait pas la nécessité de se taire sur son choix. Elle n'avait pas non plus l'intention de se faire mettre à la porte.

Elle allait soigner cet Anglais jusqu'à ce qu'il fût assez bien portant pour l'épouser.

Tel était son petit programme.

Après une quinzaine de fièvre légère et d'inflammation, l'Anglais recouvra de la suite dans ses idées. Il remercia le chapelain et sa femme, ainsi que Lispeth,—surtout Lispeth,—de leur bonté.

Il voyageait dans l'Est, dit-il,—on ne parlait jamais de «globe-trotters» à cette époque où la flotte de la *Peninsular and Oriental* était encore dans son enfance,—et il était venu de Dehra Dun pour herboriser et chasser les papillons sur les collines de Simla.

Nul ne le connaissait à Simla. Nul ne savait rien à son sujet.

Il avait dû, croyait-il, tomber de la falaise, tandis qu'il s'efforçait de détacher une fougère sur un tronc d'arbre pourri, et ses coolies, après avoir volé ses bagages, s'étaient enfuis.

Il pensait redescendre à Simla quand il serait un peu plus fort. Il n'avait plus envie de se livrer à de nouvelles ascensions.

Il ne se hâta pourtant pas de partir. Il reprenait lentement ses forces.

Lispeth se refusa à recevoir les conseils du chapelain ou de sa femme. Cette dernière parla donc à l'Anglais et lui dit ce qu'il y avait dans le cœur de Lispeth.

Il rit beaucoup. Il trouva que c'était très joli, très romanesque, une parfaite idylle de l'Himalaya; mais, comme il était fiancé à une jeune fille en Angleterre, il se figurait qu'il ne pouvait rien en advenir. Certainement, il se conduirait avec discrétion. C'est ce qu'il fit.

Pourtant il trouva très amusant de causer avec Lispeth, de se promener avec Lispeth, de lui dire de gentilles choses, de lui donner des noms caressants tout le temps qu'il demeura là, à reprendre ses forces avant son départ.

Pour lui, tout cela ne signifiait rien. Pour Lispeth, cela voulait tout dire.

Elle fut très heureuse durant cette quinzaine, car elle avait trouvé un homme à aimer.

Sauvage de naissance, elle ne prenait nul soin de cacher ses sentiments, et cela amusait l'Anglais.

Quand il partit, Lispeth l'accompagna en haut de la colline jusqu'à Narkunda, toute bouleversée et très malheureuse.

La femme du chapelain, qui était bonne et qui détestait tout ce qui avait l'apparence du bruit ou du scandale, et Lispeth échappait tout à fait à son influence,—avait prié l'Anglais de dire à Lispeth qu'il reviendrait l'épouser.

—Ce n'est qu'une enfant, voyez-vous, et au fond, je la crois païenne de cœur, disait la femme du chapelain.

Donc, tout le long de la montée, longue de douze milles, l'Anglais, le bras passé autour de la taille de Lispeth, assura la jeune fille qu'il reviendrait l'épouser.

Lispeth lui fit plusieurs fois répéter sa promesse.

Elle pleura, debout sur la crête de Narkunda, jusqu'à ce qu'elle l'eût perdu de vue sur le sentier de Muttioni.

Alors elle sécha ses larmes et revint à Kotgarh.

Elle dit à la femme du chapelain:

—Il reviendra m'épouser. Il est allé trouver ses parents pour le leur annoncer.

La femme du chapelain la consola et lui dit:

—Il reviendra.

Au bout, de deux mois, Lispeth devint impatiente et on lui dit que l'Anglais était allé au delà des mers, en Angleterre.

Elle savait où était l'Angleterre, parce qu'elle avait lu de petites géographies élémentaires, mais naturellement, en vraie fille des Collines, elle n'avait aucune idée de ce qu'était la mer.

Il y avait chez le chapelain un vieux jeu de patience du globe, avec lequel Lispeth avait joué quand elle n'était qu'une enfant.

Elle le dénicha; le soir, elle en assemblait les morceaux et pleurait tout bas en s'efforçant d'imaginer où était son Anglais.

Comme elle n'avait aucune idée ni des distances, ni des bateaux à vapeur, ses notions étaient un tant soit peu erronées. Eussent-elles été exactes, d'ailleurs, cela n'eût pas fait la moindre différence, car l'Anglais n'avait pas l'intention de revenir épouser une fille des Collines.

Il l'avait tout à fait oubliée, alors même qu'il chassait encore les papillons à Assam.

Plus tard, il écrivit un livre sur l'Orient: le nom de Lispeth n'y est même pas mentionné.

Au bout de trois mois, Lispeth se mit à faire tous les jours le pèlerinage de Narkunda pour voir si son Anglais venait le long de la route.

Cela la réconfortait, et la femme du chapelain, la voyant gaie, pensa qu'elle avait surmonté sa folie barbare et tout à fait indélicate.

Un peu plus tard, les promenades cessèrent de soutenir Lispeth qui devint de très méchante humeur.

La femme du chapelain crut le moment favorable pour lui faire connaître le véritable état des choses.

Elle lui dit que l'Anglais ne lui avait promis son amour que pour la faire tenir tranquille, qu'il n'avait jamais eu d'intention sérieuse et qu'il était «mal et inconvenant» de la part de Lispeth de songer à épouser un Anglais, un homme d'une essence supérieure, qui, en outre, était fiancé à une jeune fille de sa race.

Lispeth répliqua que tout cela était absolument impossible, parce qu'il lui avait dit qu'il l'aimait, et que la femme du chapelain lui avait, de ses propres lèvres, assuré que l'Anglais reviendrait.

—Comment avez-vous pu, lui et vous, ne pas dire la vérité? interrogea Lispeth.

—Nous avons parlé ainsi pour vous calmer, mon enfant, dit la femme du chapelain.

—Alors vous m'avez menti, vous et lui, conclut Lispeth.

La femme du chapelain baissa la tête et ne dit rien.

Lispeth aussi se tut un moment.

Ensuite, elle descendit dans la vallée et revint vêtue comme une fille des Collines, dans une robe horriblement sale, mais sans anneaux au nez ni aux oreilles.

Elle avait tressé ses cheveux en une longue natte, liée au bout avec du fil noir, comme la portent les femmes des Collines.

—Je m'en vais avec les miens, dit-elle. Vous avez tué Lispeth. Il ne reste plus que la fille de la vieille Jadeh, la fille d'un *pahari* et la servante de Tarka Devi. Vous autres, Anglais, vous êtes tous des menteurs!

Avant que la femme du chapelain n'eût ressaisi ses esprits, accablés par la nouvelle que Lispeth retournait aux dieux de sa mère, la jeune fille avait disparu.

Elle ne revint jamais.

Elle se passionna pour ses compatriotes pouilleux, comme pour payer à ceux de sa race l'arriéré de l'existence qu'elle avait abandonnée, et, peu de temps après, elle épousa un bûcheron qui la battit, à la manière des *paharis*.

Sa beauté se fana bien vite.

—Il n'y a pas de loi qui puisse vous expliquer les caprices d'une païenne, dit la femme du chapelain, et je crois que Lispeth, au fond, a toujours été une infidèle.

Si l'on songe qu'elle avait été reçue dans le giron de l'Église d'Angleterre à l'âge très avancé de cinq semaines, ce jugement fait peu d'honneur à la femme du chapelain.

Lispeth était très vieille quand elle mourut.

Elle possédait toujours parfaitement l'anglais, et, quand elle était assez ivre, on pouvait parfois l'amener à conter l'histoire de ses premières amours.

Alors, il était difficile de s'imaginer que cette créature ridée, aux yeux chassieux, qui ressemblait tant à un balai roussi, avait pu être «Lispeth, de la mission de Kotgarh».

LA PRISE DE LUNGTUNGPEN

Ainsi nous lâchâmes une belle volée, et nous mîmes ces coquins en fuite; quand notre cartouchière fut vide, nous jouâmes de la crosse. Ah non! ne venez pas vous y frotter, quand Tommy s'escrime de la baïonnette et de la crosse.

(CHANSON DE CHAMBREE.)

Mon ami le soldat Mulvaney me conta ceci, assis sur un parapet de la route qui mène à Dagshai, un jour que nous faisions ensemble la chasse aux papillons.

Il avait ses théories à lui au sujet de l'armée et culottait à la perfection les pipes en terre.

Il disait que le jeune soldat est celui dont on peut attendre le plus, «attendu qu'il est d'une innocence incroyable, comme l'enfant».

—Maintenant, écoutez, dit Mulvaney, en s'étendant de tout son long sur le mur, au soleil. Je suis un enfant de la chambrée, comme si j'y étais né.

«L'armée, pour moi, c'est le boire et le manger, parce que je suis du petit nombre de ceux qui ne peuvent plus en sortir. J'ai quatorze ans de service, et la pipe en terre est devenue une partie de moi-même.

«Si j'avais pu, seulement pendant un mois, me retenir de trop boire, je serais à cette heure lieutenant honoraire, un fléau pour mes supérieurs, une tête de turc pour mes égaux, et une malédiction pour moi-même. Mais les choses étant ce qu'elles sont, je suis le simple soldat Mulvaney, qui ne touche pas la haute paye de bonne conduite, et qui a toujours la pépie.

«Toujours en exceptant mon petit ami Bobs Bahadur[3], j'en sais aussi long sur l'armée que n'importe qui.»

[3] Lord Roberts, qui était de petite taille.

Je plaçai quelques mots...

—Wolseley[4]! qu'il aille au diable! Entre nous et ce filet à papillons, c'est un pauvre radoteur, qui ne sait pas ce qu'il dit; il a toujours un œil qui guigne du côté de la reine et de la cour, pendant que l'autre est fixé sur sa sacrée personne; il joue constamment César... César et Alexandre réunis en un seul homme.

[4] Le maréchal Sir Garnet Wolseley.

«Mais Bobs, lui, est un petit homme plein de bon sens. Avec Bobs, et quelques soldats de trois ans, je roulerais n'importe quelle armée de la terre comme un torchon, et je la jetterais ensuite au rebut.

«Je ne plaisante pas, foi de Mulvaney!

«Ce sont les conscrits, les simples conscrits d'hier, ceux qui ne savent pas ce que c'est qu'une balle, et qui ne s'en soucieraient guère, s'ils le savaient, ce sont ceux-là qui font de la besogne.

«On les bourre de viande de bœuf, jusqu'à ce qu'ils crèvent positivement de bonne nourriture, et alors, si on ne les mène pas au combat, ils se trouent la peau entre eux.

«C'est comme ça, aussi vrai que je vous le dis.

«Il faudrait les mettre au régime de la farinette et du riz bouilli pendant les chaleurs, mais si on faisait ça, il y aurait une mutinerie.

«Avez-vous jamais entendu raconter comment le simple soldat Mulvaney s'empara de la ville de Lungtungpen?

«Je ne crois pas.

«C'est le lieutenant qui en a eu tout l'honneur, mais c'est moi qui ai fait le plan de l'opération.

«Peu avant mon évacuation de Birmanie, nous nous éreintions le tempérament, vingt jeunes soldats et moi, sous les ordres d'un certain lieutenant Brazenose, à vouloir capturer des *dacoits*[5].

[5] Brigands hindous ou birmans.

«Ah! ceux-là, je n'ai jamais connu de diables aussi roués qu'eux. Pour faire un *dacoit*, il faut un *dah*[6] et un *snider*[7].

[6] Épée courte.

[7] Fusil en usage dans l'armée britannique avant l'adoption du Martini. C'est une arme pesante et sans mécanisme de répétition.

«Sans ça, c'est un cultivateur paisible, et c'est un crime de tirer dessus.

«Nous chassions, nous chassions; de temps en temps nous attrapions la fièvre et des éléphants, mais jamais de *dacoits*. A la fin, on pinça un homme.

«—Traitez-le avec douceur, dit le lieutenant.

«Je l'emmenai donc dans la jungle, avec l'interprète birman et la baguette de mon fusil.

«Alors je dis à l'homme:

«—Mon bon petit monsieur, asseyez-vous sur vos talons, et indiquez à mon ami, que voici, où sont vos amis à vous, quand ils sont chez eux.

«C'est de cette façon que je lui fis faire connaissance avec la baguette de fusil.

«Alors il se mit à babiller dans son patois, l'interprète intervenant pour «interpréter», pendant que j'assistais le service des renseignements au moyen de ma baguette de fusil, toutes les fois que l'homme manquait de mémoire.

«Bientôt j'apprends que de l'autre côté de la rivière, à quelque neuf milles dans l'intérieur, il y avait une ville qui, à ce moment même, fourmillait de *dahs*, d'arcs, de flèches, de *dacoits*, d'éléphants et de fusils.

«—Bon! que je dis, nous allons fermer ce bureau-ci.

«Le soir, je vais trouver le lieutenant et je lui fais part de ce que j'avais appris.

«Jusqu'à ce soir-là, je n'avais pas fait grand cas du lieutenant Brazenose. Il était tout bourré de livres et de théories, d'un tas de choses qui ne servent à rien.

«—Une ville, dites-vous? qu'il me fait. Selon les théories de la guerre, nous devrions attendre des renforts.

«—Diable! que je me dis. Alors, nous n'avons rien de mieux à faire que de creuser nos tombes; les troupes les plus rapprochées étaient là-haut, au beau milieu des marais, du côté de Mimbu.

«—Pourtant, dit le lieutenant, c'est un cas spécial. Je ferai une exception. Nous irons faire un tour à Lungtungpen, ce soir.

«Les camarades étaient littéralement fous de joie quand je leur apportai la nouvelle. Aussi les voyait-on aller et venir dans la jungle comme des lapins.

«Vers minuit, nous arrivons au bord de la rivière.

«J'avais complètement oublié de parler de cette rivière à mon officier.

«J'étais en avant, avec quatre camarades, et je pensais que le lieutenant éprouverait le besoin de faire des théories.

«—Déshabillez-vous, que je dis. Déshabillez-vous jusqu'à la ceinture, et allez, à la nage, où la gloire vous appelle.

«—Mais je ne sais pas nager, disent deux d'entre eux.

«—Dire que j'ai vécu assez pour entendre conter cela par un gaillard qui a été élevé en pension! Prenez une pièce de bois. Moi et Conolly, que voici, nous vous transporterons sur l'autre bord, mes jeunes demoiselles.

«Nous prenons un vieux tronc d'arbre, et nous le poussons au large, après avoir mis dessus nos équipements et nos carabines.

«Il faisait noir comme dans un four; à peine venions-nous de nous embarquer, que j'entends derrière moi le lieutenant qui appelait.

«—Il y a un petit ruisseau par ici, mon lieutenant, que je dis, mais je sens déjà le fond.

«Rien d'étonnant à cela, car j'étais à peine à un mètre du bord.

«—Un ruisseau! mais c'est un véritable estuaire, fait le lieutenant. En avant, enragé Irlandais! Mes amis, déshabillez-vous.

«Je l'entendis rire. Les camarades ôtèrent leurs habits. Puis ils se mirent à rouler une pièce de bois dans l'eau pour y mettre leurs équipements, pendant que Conolly et moi nous nagions dans l'eau tiède, en poussant notre bûche; les autres venaient derrière nous.

«La rivière avait plusieurs milles de largeur!

«Ortheris, sur la bûche qui formait l'arrière-garde, prétendait que nous étions entrés par mégarde dans la Tamise, en aval de Sheerness.

«—Occupe-toi de nager, petit polisson, que je lui dis, et ne te permets pas ces méchantes plaisanteries au sujet de l'Iraouaddy.

«—Silence, vous autres! dit le lieutenant de sa voix menue.

«Alors nous continuons à nager dans la nuit noire, la poitrine sur nos bûches, pleins de confiance dans les saints et dans la bonne chance de l'armée britannique.

«Quelque temps après, nous reprenons pied. C'est un petit banc de sable, sur lequel il y a un homme. Je mets mon talon sur son dos, il pousse un cri et s'échappe.

«—Maintenant nous voilà propres, dit le lieutenant Brazenose. Où diable est Lungtungpen?

«Il fallut attendre à peu près une minute et demie.

«Les camarades reprirent leurs carabines, et quelques-uns tâchèrent de mettre leurs ceinturons. Naturellement, nous avancions baïonnette au canon.

«Alors, nous vîmes très bien où était Lungtungpen, car nous nous trouvâmes tout à coup devant la muraille dans l'obscurité, et toute la ville était hérissée de leurs sacrés *sniders*, comme la fourrure d'un chat pendant une nuit de gelée.

«On tirait de tous les côtés à la fois, mais ça passait par-dessus nos têtes, dans l'eau.

«—Avez-vous tous vos carabines? dit Brazenose.

«—Oui, répondit Ortheris, j'ai pris celle de ce voleur de Mulvaney, pour tout le prêt arriéré qu'il me doit; avec sa crosse qui n'en finit pas, elle me donne mal au cœur.

«—En avant! cria Brazenose, en tirant brusquement son sabre. En avant, prenons la ville! Et que le Seigneur ait pitié de nos âmes!

«Alors les camarades poussèrent un hurlement épouvantable, et se lancèrent dans l'obscurité, cherchant la ville à tâtons, se frottant les yeux et se raidissant comme des maîtres de manège quand les herbes piquaient leurs jambes nues.

«Je tapai avec la crosse de mon fusil contre quelque chose en bambou qui avait l'air moins résistant.

«Les autres arrivèrent, et se mirent à taper à qui mieux mieux, tandis que les fusils pétaradaient et que des cris féroces, partant de l'intérieur, nous déchiraient les oreilles.

«A la fin, cette chose-là, quelle qu'elle fût, céda sous nos efforts, et nous tombâmes, vingt-six, l'un après l'autre, nus comme des nouveau-nés, dans la ville de Lungtungpen.

«Il y eut pendant un moment une sorte de mêlée furieuse, mais peut-être, en nous voyant tout blancs et tout mouillés, les indigènes nous prirent-ils pour une nouvelle sorte de diables ou une nouvelle sorte de *dacoits*.

«Ils se mirent à courir comme si nous étions tout cela à la fois, et nous bondîmes sur eux, baïonnette au canon, en riant comme des fous.

«Il y avait des torches dans les rues, et je vis le petit Ortheris qui se frottait l'épaule toutes les fois qu'il déchargeait mon martini à longue crosse, et Brazenose qui entrait dans la foule, sabre en main, comme Diarmid[8] à la conquête du Collier d'Or, à cela près qu'il n'avait pas un fil sur lui.

[8] Personnage fabuleux de la mythologie celtique irlandaise.

«Nous découvrîmes des éléphants, sous le ventre desquels étaient des *dacoits*, de sorte que, de besogne en besogne, nous fûmes occupés jusqu'au matin à nous rendre maîtres de la ville de Lungtungpen.

«Alors on fit halte, on se remit en rang, pendant que les femmes braillaient dans les maisons, et que le lieutenant Brazenose rougissait comme une pivoine aux premières clartés du matin.

«C'est la revue la plus indécente où je me sois jamais trouvé:

«Vingt-six soldats et un officier d'infanterie alignés pour l'appel, et à eux tous ils n'avaient pas sur eux, en fait de vêtements, de quoi acheter un sifflet.

«Huit d'entre nous portaient leurs ceinturons avec les cartouchières, mais tous les autres étaient partis avec une poignée de cartouches et la peau que Dieu leur avait donnée.

«Ils étaient aussi nus que Vénus.

«—Numérotez-vous à partir de la droite, dit le lieutenant. Les numéros impairs sortiront des rangs pour s'habiller; les numéros pairs feront des patrouilles dans la ville jusqu'à ce qu'ils soient relevés par le détachement qui ira s'habiller.

«Permettez-moi de vous dire que faire des patrouilles dans une ville sans avoir l'ombre d'un vêtement, ça vous donne une sensation toute nouvelle.

«Je fis ma part de patrouille pendant dix minutes, et, ma foi, je vous avoue qu'au bout de ce temps-là, je rougis.

«Ce que les femmes riaient!

«Je n'ai jamais rougi, ni avant, ni après; mais à ce moment-là, j'étais rouge de la tête aux pieds.

«Quant à Ortheris, il ne fut pas de la patrouille. Il dit seulement:

«—Les casernes de Portsmouth et la baignade du dimanche!

«Alors il se coucha à terre et se roula de tous les côtés en riant.

«Quand nous fûmes tous habillés, on compta les morts: soixante-dix-sept *dacoits*, sans parler des blessés.

«Nous prîmes cinq éléphants, cent soixante-dix *sniders*, deux cents *dahs* et un tas d'autres outils de brigands.

«Pas un de nous ne fut blessé, sauf peut-être le lieutenant, et encore ne le fut-il que dans sa pudeur.

«Le chef des *dacoits*, quand il vint se rendre, dit à l'interprète:

«—Si les Anglais se battent comme cela tout nus, que diable ne feraient-ils pas quand ils sont habillés?

«Alors Ortheris se mit à rouler les yeux, à faire craquer ses doigts, à exécuter une danse guerrière, pour faire impression sur le chef des *dacoits*.

«Ce dernier s'enfuit chez lui, et nous passâmes le reste du jour à promener le lieutenant sur nos épaules, tout autour de la ville, et à jouer avec les petits Birmans, des diablotins dodus, petits, bruns, et jolis comme des amours.

«Quand je fus évacué sur l'Inde pour cause de dysenterie, je dis au lieutenant:

«—Mon lieutenant, vous avez l'étoffe d'un grand homme, mais permettez à un vieux soldat de vous le dire, vous aimez trop à faire la théorie.

«Il me serra la main en disant:

«—Qu'on tire haut, qu'on tire bas, il n'y a pas moyen de vous contenter, Mulvaney. Vous m'avez vu valser à Lungtungpen dans le costume d'un Peau-Rouge sans sa peinture de guerre, et vous prétendez que j'aime trop faire la théorie?

«—Mon lieutenant, que je dis (car j'avais de l'affection pour ce petit), je valserais d'un bout à l'autre de l'enfer avec vous, dans ce costume-là, et tous les camarades aussi.

«Puis, je descendis la rivière dans le bateau plat, en lui laissant ma bénédiction. Puissent les saints la porter où elle doit aller, car c'était un beau et crâne gaillard, ce jeune officier!

«Pour en finir, tout ce que je viens de vous dire fait voir comment on peut tirer parti des soldats de trois ans.

«Est-ce que cinquante vieux soldats auraient pris Lungtungpen dans l'obscurité, comme ça?

«Non: ils auraient vu qu'on risquait d'attraper la fièvre ou de s'enrhumer, sans parler des coups de fusil: deux cents hommes auraient été nécessaires.

«Mais les hommes de trois ans, dans leur ignorance, n'en cherchent pas si long; et là où il n'y a pas de crainte, il n'y a pas de danger.

«Prenez-les jeunes, bourrez-les de nourriture, et, je vous le jure sur l'honneur de ce grand homme de petit Bobs, mettez-les derrière un bon officier, et, même déshabillés, ce ne seront pas seulement des *dacoits* qu'ils écrabouilleront, ce seront des arrrmées du continent.

«Ils étaient tout nus à la prise de Lungtungpen; et ils prendraient Saint-Pétersbourg en caleçon. Ils en seraient capables, ma parole!

«Voici votre pipe, monsieur, fumez-y lentement du *honey dew*, après avoir laissé évaporer le goût du tabac de cantine. Mais c'est une mauvaise idée (je vous en remercie tout de même) d'avoir bourré ma blague de votre *choosa* coupé à la mécanique. Le tabac de cantine, c'est tout comme l'armée: ça vous rend incapable de goûter les friandises.»

Ce disant, Mulvaney reprit son filet à papillons et retourna à la caserne.

LE HANDICAP DE LA CHAÎNE BRISÉE

Tant que le mors tiendra bon, tant que piquera l'éperon, tant que la grande perche oscillera ou que résonnera la cloche du départ; tant qu'il y aura des chevaux à entraîner, à faire courir, les femmes et le vin ne tiendront que la seconde place, pour moi, pour moi, tant qu'un maigre produit de trois ans aura un champ à fouler, une barrière à franchir.

(CHANSON DU G. R.)

Il y a plus de façons de faire courir un cheval d'une manière avantageuse pour votre carnet de courses qu'il n'y en a de lui faire tenir la tête droite.

Certaines gens l'oublient.

Comprenez bien que les courses sont une institution détestable, comme d'ailleurs tout ce qui a pour résultat une perte d'argent.

Dans ce pays-ci, outre cette décadence naturelle, les courses ont cet autre mérite de n'être, pour les deux tiers, qu'une fiction qui n'est jolie que sur le papier.

On se connaît trop mutuellement, pour faire des affaires sérieuses.

Comment tourmenter, persécuter, afficher un homme, alors que vous courtisez sa femme et que vous habitez la même station que lui?

Il vous dit:

—A lundi prochain. Je ne puis payer séance tenante.

Vous répondez:

—C'est entendu, mon vieux.

Et vous vous estimez fort heureux si vous tirez neuf cents roupies d'une créance de deux mille.

De quelque côté qu'on les considère, les courses de l'Inde sont une institution immorale, et, chose pire encore, d'une immoralité coûteuse.

Lorsqu'un homme a besoin de votre argent, il vaudrait mieux qu'il le demandât, ou qu'il fît circuler une liste de souscription, au lieu de jeter de la poudre aux yeux de tout le monde, avec son *larrikin*[9] d'Australie, son *brumby*[10] qui n'a pas plus de race que le valet d'écurie, ses deux *chumars*[11] en bonnets à broderies d'or, ses trois ou quatre poneys d'*ekkas*[12] aux crinières aussi raides que celles d'un sanglier, et sa demi-vertu de jument à la queue en bâton, qu'on qualifie d'arabe, parce qu'elle a une tache sur l'œil.

[9] Le *larrikin* d'Australie, c'est le gavroche, un gavroche mâtiné d'apache qui fait un excellent jockey.

[10] Cheval à demi sauvage.

[11] Valets hindous de basse caste.

[12] *Ekka*, voiture à un cheval.

Les courses mènent plus vite au *shroff*[13] qu'aucune autre chose.

[13] Usurier.

Mais si vous êtes dépourvu de conscience et de sentiments, si vous avez de bons poignets, si vous connaissez quelque peu les allures; si vous avez dix ans d'expérience des chevaux et plusieurs milliers de roupies par mois, je crois que vous pourrez arriver de temps à autre à payer les notes de votre maréchal ferrant.

Avez-vous jamais connu «*Shackles* b. w. g. 15. 1⅜»? Vilain, dégingandé, avec des oreilles de mulet, le ventre aussi long qu'un montant de porte, les nerfs aussi durs que du fil télégraphique, c'était bien le plus étrange animal qui eût jamais passé sa tête dans une bride.

Il n'appartenait à aucune catégorie définie, car il faisait partie d'une bande à l'oreille fendue qui avait été embarquée sur le *Bucéphale* à raison de quatre livres dix shillings par tête, pour compléter le fret; à Calcutta il avait été vendu tel quel, dépourvu de toute forme, pour deux cent soixante-quinze roupies.

Les gens, qui perdaient de l'argent sur lui, le qualifiaient de *brumby*. Mais si jamais cheval eut l'épaule de *Harpon* et le caractère de *Gin*, ce fut *Shackles*.

Son parcours ordinaire était de deux milles.

Il s'entraînait lui-même, se courait, se montait lui-même; si son jockey lui faisait l'affront de vouloir le diriger, il se fâchait aussitôt, et d'un coup de reins, se débarrassait de lui.

Il n'aimait pas qu'on lui donnât des ordres.

A la fin, il fut acheté par un homme qui comprit que si jamais il y avait une course à gagner, elle serait gagnée par *Shackles*, allant à sa façon, tant que son jockey se tiendrait tranquille.

Cet homme-là avait un jockey nommé Brunt, jeune homme de Perth, en Australie occidentale, et, au moyen d'un fouet d'entraîneur, il enseigna à

Brunt la chose qu'il est le plus malaisé d'apprendre à un jockey: se tenir toujours immobile en selle.

Lorsque Brunt se fut bien pénétré de cette vérité, *Shackles* dévasta le pays.

Aucun poids n'était capable de le retarder sur sa distance ordinaire.

La renommée de *Shackles* s'étendit depuis Adjmir, dans le sud, jusqu'à Chedputter, au nord.

Il n'y avait pas de cheval comparable à *Shackles*, tant qu'on le laissait faire à sa tête. Mais il finit par être battu, et l'histoire de son échec ferait pleurer les anges.

A l'extrémité inférieure du champ de courses de Chedputter, juste avant l'angle qui précède la ligne droite, la piste passe tout près de deux vieux tertres de briques, qui servent de clôture à un creux en forme de cheminée évasée.

Le gros bout de cette cheminée est à moins de six pieds des barrières extérieures.

La particularité extraordinaire que présente ce champ de courses réside en ceci: si vous vous tenez à un certain endroit, situé à environ un demi-mille en dedans de la piste, et que vous parliez d'une voix ordinaire, votre voix pénètre dans l'entonnoir entre les tas de briques et y est répétée en écho, mais avec une intonation pleurarde.

Cette particularité fut découverte un matin par un homme qui faisait de l'entraînement avec un ami. Il marqua de deux briques l'endroit où il fallait se placer pour parler, et garda le secret sur sa découverte.

Il n'est pas *un seul* détail d'une course qui ne doive être retenu, dans un pays où les rats sont capables de causer des ravages dans une portée d'éléphants, et où les propriétaires qui font courir disposent les obstacles au profit de leurs écuries.

Cet homme faisait courir une jument élevée à la campagne, une vraie créature fée, longue, à grandes foulées, très haute, qui avait un caractère de démon, mais l'allure d'un séraphin qui plane, avec un pas rasant, glissant.

Par un délicat hommage à mistress Reiver[14], on avait donné à cette jument le nom de: *Lady Regula Baddun*[15], ou, en abrégé, *Regula Baddun.*

[14] Voir, dans les *Simples Contes des Collines*, la nouvelle intitulée: *Le Sauvetage de Pluffles.*

[15] *Baddun*, prononciation familière de *the bad one*: la mauvaise ou la méchante.

Brunt, le jockey de *Shackles*, était un garçon de très bonne conduite, mais dont les nerfs avaient été ébranlés. Il avait débuté dans des courses d'obstacles à Melbourne, où un certain nombre de propriétaires d'écuries méritaient d'être lynchés.

C'était un des rares jockeys qui eussent échappé à cette terrible boucherie de la Coupe de Maribyrnong, dont il vous souvient peut-être.

Les murs étaient des remparts à la façon coloniale: ils étaient faits de poteaux de jarrah[16] enfoncés par la pointe dans de la maçonnerie, et fortifiés par des arcs-boutants aussi solides que des contreforts d'église. Une fois lancé, un cheval devait sauter ou tomber: il lui était impossible de tourner.

[16] Sorte d'eucalyptus.

Dans la Coupe de Maribyrnong, douze chevaux étaient serrés ensemble au second mur. *Chapeau Rouge*, qui tenait la tête, tomba d'un côté, et entraîna la chute du *Gled*; le peloton arriva par derrière, de sorte que l'espace entre les deux ailes ne fut bientôt plus qu'une masse sanglante qui s'agitait, ruait, criait.

Quatre jockeys furent emportés morts, trois étaient grièvement blessés, et Brunt était de ce nombre.

Il racontait de temps à autre l'affaire de Maribyrnong, et, quand il arrivait à l'instant où Whalley, montant *Chapeau Rouge*, dit, pendant que la jument s'abattait sous lui: «Dieu ait pitié de moi! je suis perdu!» au moment même où *Assieds-toi là* et *Loutre Blanche*, tombant sur le pauvre Whalley, l'écrasèrent, et où la poussière cacha une infernale mêlée d'hommes et de chevaux, personne ne s'étonnait que Brunt eût renoncé aux courses d'obstacles et, en même temps, à l'Australie.

Le propriétaire de *Regula Baddun* savait cette histoire par cœur.

Brunt la racontait sans jamais y rien changer: il n'avait pas d'éducation.

Shackles vint une année aux courses d'automne de Chedputter, et son propriétaire se promena partout, narguant les sportsmen de Chedputter, en général, si bien qu'ils finirent par aller trouver en corps le secrétaire honoraire, pour lui dire:

—Désignez des handicapeurs, et organisez une course de façon qu'elle démolisse *Shackles* et qu'elle donne une leçon d'humilité à son propriétaire.

Les Districts s'insurgèrent contre *Shackles* et envoyèrent ce qu'ils avaient de mieux: le *Merle* qu'on estimait capable de couvrir son mille en une minute 53 secondes; *Pétard*, produit d'un haras, entraîné par un régiment de cavalerie qui se connaissait en entraînement; *Gringalet*, l'agneau du 75e; *Bobolink*, l'orgueil de Peshawar, et bon nombre d'autres.

On donna à cette course-là le nom de Handicap de la chaîne brisée, parce qu'elle avait pour but de démolir *Shackles*[17]. Les handicapeurs accumulèrent les poids, la caisse donna huit cents roupies, et la distance fut le parcours de toute la piste pour tous les chevaux.

[17] Il convient de rappeler ici que *shackle*, en anglais, veut dire *chaîne*.

Le propriétaire de *Shackles* dit:

—Vous pouvez arranger la course en ne tenant compte que de *Shackles*. Tant que vous ne l'aurez pas enterré sous des couvertures pour le surcharger, je ne m'inquiète pas.

Le propriétaire de *Regula Baddun* dit:

—Je sacrifie ma jument pour faire marcher le *Merle*. La distance de *Regula* est de douze cents yards: alors elle se couchera et mourra. Le *Merle* en fera autant, car son jockey n'entend rien à une course d'attente.

Mais c'était là un mensonge, car *Regula* avait été entraînée pendant deux mois à Dehra, et ses chances étaient bonnes, toujours en supposant que *Shackles* se romprait un vaisseau *ou que Brunt ferait un mouvement pendant la montée.*

Il y eut un bel élan pour les paris. On plaça huit mises de mille roupies sur le Handicap de la chaîne brisée, et le *Pionnier*, dans un article, déclara «qu'il y avait plusieurs favoris». Pour tout dire, les divers groupes étaient enthousiastes de leurs chevaux respectifs, car les handicapeurs s'étaient acquittés habilement de leur tâche.

Le secrétaire honoraire s'était enroué à parler dans le tapage. La fumée des cigares et le bruit des cornets à dés étaient tels qu'on eût dit la fumée et le bruit d'un feu de file.

Dix chevaux partirent bien en ligne et le propriétaire de *Regula Baddun*, au trot de son vieux cheval, gagna un endroit situé dans l'intérieur du champ de courses, et où deux briques avaient été jetées.

Il se tourna de façon à faire face aux tas de briques à l'extrémité inférieure du champ et attendit.

Les détails de la course se trouvent dans le *Pionnier*.

A la fin du premier mille, *Shackles* se détacha du peloton, tout à fait sur le côté, tout prêt à contourner l'angle, à se rendre maître du mors, et à filer droit, avant que les autres se fussent doutés qu'il les avait quittés.

Brunt était en selle, immobile, parfaitement heureux, et prêtant l'oreille au *drum! drum! drum!* que faisaient derrière lui les sabots, sachant qu'au bout de vingt autres foulées, *Shackles* ferait une longue inspiration et parcourrait le dernier demi-mille comme s'il eût été le «Hollandais volant[18]».

[18] Vaisseau fantôme qui, d'après une légende maritime anglaise, hantait les parages du Cap de Bonne Espérance.

Comme Shackles raccourcissait le pas pour contourner l'angle,—il était alors juste au niveau des tas de briques,—Brunt entendit, à travers le vent qui sifflait à ses oreilles, une voix lamentable, éplorée, qui partait du dehors et disait:

—Dieu ait pitié de moi, je suis perdu!

Dans le temps d'une seule foulée, Brunt revit l'affreux pêle-mêle du champ de courses de Maribyrnong, tressaillit violemment sur sa selle et jeta un hurlement d'effroi.

Ce mouvement mit ses éperons en contact avec les flancs de *Shackles*, et ce cri blessa les sentiments de *Shackles*.

Il ne pouvait s'arrêter court, mais il mit les quatre pieds à terre, fit une glissade d'environ cinquante mètres; puis, d'un air très grave et très posé, il se débarrassa, par une ruade, de Brunt qui n'était plus qu'une loque tremblante, terrifiée, pendant que *Regula Baddun* venait se placer, encolure contre encolure avec *Bobolink*, que tous deux prenaient la piste droite et gagnaient d'une demi-tête. *Pétard* étant mauvais troisième.

Le propriétaire de *Shackles*, dans la tribune, essayait de se persuader que sa lorgnette le trompait.

Quant au propriétaire de *Regula Baddun*, qui attendait à côté des deux briques, il poussa un gros soupir de soulagement et regagna au trot la tribune.

En engagements et en paris, il avait gagné environ quinze mille roupies.

Ce fut bien le Handicap de la chaîne brisée. Il brisa les reins à presque tous ceux qui y avaient pris part, et il faillit briser le cœur du propriétaire de *Shackles*.

Ce dernier alla interviewer Brunt.

Le jockey gisait livide, pantelant d'effroi, à l'endroit même où il avait fait la culbute. On eût dit qu'il était indifférent au crime d'avoir perdu la course. Tout ce qu'il savait, c'était que Whalley l'avait *appelé*, que cet appel était un *avertissement*, et dût-on le couper en deux, il ne monterait jamais plus.

Ses nerfs étaient ébranlés pour toujours.

Il ne demandait à son maître qu'une chose: de lui donner une bonne raclée et de le laisser aller.

Il n'était bon à rien, disait-il. Son maître lui donna congé et il s'en retourna au paddock en se dissimulant, blanc comme plâtre, les lèvres bleues, les genoux flageolants.

Dans le paddock, on l'injuria grossièrement, mais Brunt ne s'en aperçut guère.

Il reprit ses vêtements et sa canne et s'en alla sur la route, toujours tremblant de frayeur, toujours répétant: «Dieu ait pitié de moi! je suis perdu!» et, autant que je sache et que je croie, il disait la vérité.

Vous savez maintenant comment fut couru et gagné le Handicap de la chaîne brisée. Naturellement vous n'en croirez rien! Vous prêteriez foi à n'importe quel conte ayant trait aux visées de la Russie sur l'Inde, ou bien aux recommandations de la Commission monétaire, mais ce petit morceau de simple vérité vous paraît beaucoup trop dur à avaler.

HORS DU CERCLE

L'amour ne tient pas compte de la caste, non plus que le sommeil d'un lit cassé. J'allai en quête de l'amour et je me perdis.

(PROVERBE HINDOU.)

Il faut, quoi qu'il arrive, rester dans sa caste, sa race, son milieu. Que les Blancs aillent aux Blancs, que les Noirs aillent aux Noirs!

Alors, si l'on a des ennuis, ils ne sortent pas du cours ordinaire des événements. Ils n'ont rien de soudain, d'étrange, d'insoupçonné.

Ceci est l'histoire d'un homme qui franchit délibérément les frontières protectrices de la société comme il faut de tous les jours, et qui en fut cruellement châtié.

Dans le premier cas, il sut trop de choses; dans le second, il en vit trop. Il s'intéressa de trop près à la vie indigène, mais il ne recommencera jamais plus.

Tout au cœur de la cité, derrière le *bustee*[19] de Jitha Megji, se trouve la ruelle d'Amir Nath, qui se termine en impasse par un mur percé d'une seule fenêtre grillée.

[19] Faubourg.

A l'extrémité de cette ruelle il y a une grande étable à vaches, et les murs qui donnent sur les deux côtés de l'impasse n'ont aucune fenêtre.

Ni Suchet Singh, ni Gaur Chand n'approuvent que leurs femmes jettent un coup d'œil sur le monde extérieur.

Si Durga Charan avait été de leur opinion, il serait plus heureux aujourd'hui, et la petite Bisesa serait en état de pétrir son pain elle-même.

De sa chambre, elle pouvait regarder, par la fenêtre grillée, dans l'étroite et sombre ruelle où le soleil ne pénétrait jamais, où les buffles se roulaient dans la boue bleue.

Elle était veuve, âgée d'environ quinze ans.

Nuit et jour elle priait les dieux de lui envoyer un amoureux, car elle n'approuvait pas la vie solitaire.

Un jour, l'homme,—il se nommait Tréjago,—vint dans l'impasse d'Amir Nath, en se promenant sans but; après avoir dépassé les buffles, il trébucha contre un gros tas d'herbages pour les bestiaux.

Alors, il vit que la ruelle finissait en piège et il entendit un petit rire derrière la fenêtre grillée.

C'était un joli petit rire; Tréjago, sachant que pour tous les usages pratiques, les antiques *Mille et une Nuits* sont de bons guides, s'avança vers la fenêtre et murmura cette strophe du *Chant d'amour de Har Dyal* qui commence ainsi:

> *Un homme peut-il se tenir debout devant la face nue du soleil, ou un amant en présence de sa bien-aimée?*
>
> *Si mes pieds se dérobent sous moi, ô cœur de mon cœur, dois-je être blâmé, parce que la splendeur de ta beauté m'aveugle?*

Alors un léger tintement de bracelets féminins se fit entendre derrière la grille, et une voix menue continua par le cinquième vers:

> *Hélas! hélas! la Lune peut-elle parler au Lotus de son amour, quand la porte des deux est fermée, et que se rassemblent les nuages chargés de pluie?*
>
> *On a pris ma bien-aimée, et on l'a poussée vers le nord, avec les chevaux de bât.*
>
> *Il y a des chaînes de fer à ces pieds qui étaient posés sur mon cœur.*
>
> *Avertis les archers de se tenir prêts…*

La voix se tut soudain, et Tréjago sortit de l'impasse d'Amir Nath, en se demandant qui avait bien pu trouver si exactement la suite du *Chant d'amour d'Har Dyal.*

Le lendemain, comme il se rendait en voiture à son bureau, une vieille femme lança un paquet dans son *dog-cart.*

Le paquet contenait la moitié d'une pendeloque de verre brisée, une fleur de *dhak* rouge sang, une pincée de *bhusa* ou foin pour les bestiaux, et onze cardamomes.

Ce paquet était une lettre, non point une lettre grossièrement compromettante, mais une innocente, une inintelligible lettre d'amour.

Tréjago en savait beaucoup trop long là-dessus, comme je l'ai dit.

Il serait préférable qu'aucun Anglais ne sût traduire les lettres symboliques. Mais Tréjago étala toutes ces futilités sur le couvercle de son pupitre et se mit à les interpréter.

Dans l'Inde entière, une pendeloque en verre brisée signifie une veuve, parce que, à la mort du mari, on brise les bracelets que sa femme porte à son poignet.

Tréjago comprit le sens de ce petit morceau de verre.

La fleur de *dhak* s'interprète diversement: «désirer», «venir», «écrire», «danger», suivant les objets dont elle est accompagnée.

Une cardamome signifie «jalousie», mais quand un objet quelconque est en double dans une lettre d'amour, il perd son sens symbolique et ne représente plus qu'un nombre indiquant le temps; s'il y est joint de l'encens, du caillé, du safran, c'est une indication de lieu.

Dès lors le message s'interprétait ainsi: «Une veuve,—fleur de *dhak*, et *bhusa*,—à onze heures.»

La pincée de *bhusa* mit Tréjago sur la piste.

Il sentit—cette sorte de lettre comporte une bonne dose d'intuition—que le *bhusa* était une allusion au gros tas d'herbages à bestiaux sur lequel il avait trébuché dans la ruelle d'Amir Nath, que le message devait venir de la personne qu'il avait entendue derrière le grillage, et qu'elle était veuve.

En somme, le message était ainsi conçu:

«Une veuve, dans la ruelle où se trouve le tas de *bhusa*, vous prie de venir à onze heures.»

Tréjago jeta tous les débris dans l'âtre et se mit à rire.

Il savait qu'en Orient les hommes ne font point l'amour sous des fenêtres à onze heures du matin, et que les femmes ne donnent pas leurs rendez-vous une semaine à l'avance.

Aussi, cette même nuit, à onze heures, alla-t-il dans la ruelle d'Amir Nath, enveloppé d'un *boorka*, manteau qui sert aux hommes comme aux femmes.

Dès que les gongs de la cité eurent sonné l'heure, la petite voix derrière le grillage reprit le *Chant d'amour de Har Dyal*, au passage où la jeune fille *panthan* implore le retour de Har Dyal.

Dans l'original, c'est une romance vraiment jolie; dans une traduction, vous ne retrouverez pas son accent plaintif.

En voici une version approximative:

> *Seule, sur les toits, je me tourne vers le nord, et j'épie l'éclair dans le ciel, l'éclat de ta marche dans le nord. Reviens à moi, ô bien-aimé, ou je meurs!*
>
> *Au-dessous de moi s'étend le bazar endormi; bien loin, bien loin, s'allongent les chameaux fatigués, les chameaux et les captifs de ta razzia. Reviens à moi, ô bien-aimé, ou je meurs!*

La femme de mon père est vieille, aigrie par les années, et je suis la servante à tout faire dans la maison de mon père; le chagrin est mon pain et les larmes sont ma boisson. Reviens à moi, ô bien-aimé, ou je meurs!

Quand la chanteuse se tut, Tréjago s'avança jusque sous le grillage et murmura:

—Me voici.

Bisesa était agréable à voir.

Cette nuit fut le début d'une foule de choses étranges et d'une vie en partie double si compliquée, qu'aujourd'hui Tréjago se demande s'il n'a pas été le jouet d'un rêve.

Bisesa,—à moins que ce ne fût la vieille servante qui avait jeté la lettre symbolique,—avait descellé le lourd grillage d'entre les briques du mur, de sorte que la fenêtre glissait en dedans, ne laissant plus qu'une ouverture carrée de simple maçonnerie par où pouvait grimper un homme de quelque agilité.

Pendant la journée, Tréjago accomplissait sa monotone besogne de bureau, ou bien il faisait sa toilette et rendait visite aux dames anglaises de la station, en se demandant pendant combien de temps elles consentiraient à le connaître, si elles apprenaient l'existence de la pauvre petite Bisesa.

Le soir, quand la ville était endormie, il partait couvert d'un *boorka* malodorant. Il arpentait le quartier qui est derrière le *bustee* de Jitha Megji, tournait brusquement pour entrer dans l'impasse d'Amir Nath, entre les bestiaux endormis et les murs nus. Et enfin, c'était Bisesa, et le bruit de la respiration profonde et régulière des vieilles femmes qui dormaient à la porte de la chambrette pauvrement meublée que Durga Charan avait réservée à la fille de sa sœur.

Qui était Durga Charan, et que faisait-il?

Tréjago ne s'en informa jamais.

Comment ne fut-il point découvert et poignardé? Il ne songea à se le demander que quand sa folie fut passée, et que Bisesa...

Mais ceci viendra plus loin.

Bisesa avait un charme infini pour Tréjago.

Elle était aussi ignorante qu'un oiseau; les idées biscornues qu'elle se faisait des choses du monde extérieur, d'après les rumeurs qui arrivaient jusqu'à sa chambre, amusaient Tréjago presque autant que les efforts qu'elle faisait, en zézayant, pour prononcer son nom de Christophe.

La première syllabe était déjà au-dessus de ses moyens.

Elle faisait de petits gestes drôles et jolis avec ses mains roses, comme si elle eût voulu jeter ce nom.

Puis, s'agenouillant devant Tréjago, elle lui demandait, exactement de la même façon qu'eût fait une Anglaise, s'il était bien sûr de l'aimer.

Tréjago jurait qu'il l'aimait plus que tout au monde.

Et c'était vrai.

Après un mois de cette folie, les exigences de son autre vie obligèrent Tréjago à témoigner des attentions particulières à une dame de sa connaissance.

Vous pouvez être certain que n'importe quel fait de ce genre est relevé et discuté, non seulement par les gens de votre propre race, mais encore par cent cinquante indigènes.

Tréjago dut se promener avec cette dame et causer avec elle à la musique.

Il dut faire avec elle une ou deux promenades en voiture. Il n'eut pas un instant l'idée que cela pouvait avoir quelque influence sur sa vie secrète, qui lui était la plus chère.

Mais les nouvelles volèrent de la façon mystérieuse que l'on connaît, de bouche en bouche, jusqu'au jour où la duègne de Bisesa l'apprit et en parla à Bisesa.

La petite fut si troublée qu'elle fit tout de travers sa besogne domestique, et qu'en conséquence la femme de Durga Charan la battit.

Une semaine plus tard, Bisesa reprocha ce flirt à Tréjago.

Elle n'entendait rien aux nuances et parlait à cœur ouvert.

Tréjago en rit. Bisesa battit le sol de ses petits pieds, de ses pieds menus, aussi légers que des fleurs de soucis, et qui auraient tenu dans une main d'homme.

La plus grande partie de ce qu'on a écrit sur la passion et l'élan impulsif chez la femme orientale est exagéré et compilé de seconde main; pourtant il y a là un peu de vérité; quand un Anglais le découvre, cela le stupéfie autant que pourrait le faire une passion dans sa propre existence.

Bisesa eut des crises de rage. Elle tempêta, et finalement menaça de se tuer si Tréjago ne renonçait pas sur-le-champ à la *memsahib* qui était venue se mettre entre eux.

Tréjago voulut s'expliquer, lui montrer qu'elle ne comprenait pas la situation à un point de vue occidental.

Bisesa se redressa et dit simplement:

—Je ne la comprends pas. Tout ce que je sais, le voici: c'est qu'il n'est pas bien que je vous aie aimé plus que mon propre cœur, sahib. Vous êtes un Anglais. Je ne suis qu'une fille noire (elle était plus blonde que l'or en barre de la Monnaie) et la veuve d'un homme noir.

Alors elle sanglota et ajouta:

—Mais sur mon âme et sur l'âme de ma mère, je vous aime. Il ne vous arrivera jamais malheur, quoi qu'il puisse advenir de moi.

Tréjago raisonna la fillette, et fit de son mieux pour la calmer, mais elle paraissait troublée au delà des limites raisonnables.

La seule chose qui pût la satisfaire, c'était la rupture de toutes relations entre eux.

Il fallait qu'il la quittât sur-le-champ.

Il partit.

Comme il se laissait tomber par la fenêtre, elle lui baisa deux fois le front et il s'en retourna chez lui tout rêveur.

Une semaine, puis trois se passèrent, sans qu'il entendît parler de Bisesa.

Tréjago, trouvant que la rupture avait déjà trop duré, retourna pour la cinquième fois à la ruelle d'Amir Nath, espérant que ses coups frappés au grillage mobile amèneraient une réponse.

Il ne fut pas déçu.

La lune était nouvelle.

Un rayon de lumière tombait dans la ruelle d'Amir Nath et sur le grillage qu'on retira dès que Tréjago eut frappé. Du fond des ténèbres, Bisesa lui tendit ses bras qu'éclaira en plein le clair de lune:

Les deux mains avaient été tranchées aux poignets et les moignons étaient presque cicatrisés.

Puis, comme Bisesa penchait sa tête entre ses bras et sanglotait, quelqu'un qui se trouvait dans la chambre poussa un grognement pareil à celui d'une bête fauve, et une lame,—couteau, épée ou lance,—vola comme un trait vers le *boorka* de Tréjago.

Le coup manqua le corps, mais entama un des muscles de l'aine, blessure qui fit boiter Tréjago légèrement pendant toute sa vie.

Le grillage fut remis en place, et aucun signe ne partit de la maison.

Il ne restait plus que la bande de lumière lunaire sur la haute muraille et, en arrière, la noirceur des ténèbres dans la ruelle d'Amir Nath.

Le premier souvenir de Tréjago, quand il eut exhalé sa fureur à grands cris entre ces murs impitoyables, c'est qu'il se retrouva près du fleuve à la pointe du jour, qu'il jeta son *boorka* et rentra tête nue chez lui.

Quelle tragédie s'était passée?

Bisesa avait-elle, dans un moment de désespoir irraisonné, tout raconté? Ou bien l'intrigue avait-elle été découverte? Lui avait-on arraché des aveux par la torture?

Durga Charan connaissait-il son nom?

Qu'advint-il de Bisesa?

Tout cela, Tréjago l'ignore encore aujourd'hui.

Il était arrivé quelque chose d'horrible, et l'idée de ce qu'avait pu être cette chose-là revient de temps à autre à l'esprit de Tréjago, la nuit, et lui tient compagnie jusqu'au matin.

Une particularité de l'histoire, c'est que Tréjago ne sait pas où se trouve la façade de la maison de Durga Charan.

Peut-être donne-t-elle sur une cour commune à deux ou trois autres maisons; ou peut-être se trouve-t-elle derrière une des portes du quartier de Jitha Megji.

Tréjago ne saurait le dire.

Il lui est impossible de retrouver Bisesa, la pauvre petite Bisesa. Il l'a perdue dans cette cité où chaque maison est aussi gardée, aussi impénétrable que la tombe, et l'ouverture grillée qui donne sur la ruelle d'Amir Nath a été murée.

Mais Tréjago va régulièrement dans le monde et il y est regardé comme un homme très respectable.

Il ne présente aucun trait particulier, si ce n'est une certaine raideur de la jambe droite, due à une foulure qu'il s'est faite en montant à cheval.

DANS L'ERREUR

On brûlait un corps sur le sable; la lumière se répandait fort loin. Elle servait de phare aux bateaux oscillants qui venaient de Zanzibar. Esprit du feu, en quelque lieu que s'élèvent tes autels, tu es la lumière qui sert de guide à nos yeux.

(CHANSON DE BATELIER A SALSETTE.)

On peut encore avoir quelque espoir quand un homme s'enivre en public, d'une façon tapageuse, et cela plus souvent que de raison. Mais il faut désespérer de celui qui boit en se cachant, seul chez lui, de celui qu'on ne voit jamais boire.

Voilà la règle.

Il doit donc y avoir une exception pour la confirmer.

Le cas de Moriarty était cette exception.

Il était ingénieur civil, et le gouvernement avait eu l'extrême attention de le placer tout seul dans un lointain district, où il ne pouvait causer qu'avec les indigènes, et où il avait beaucoup de besogne.

Il s'acquitta fort bien de sa tâche pendant quatre années de vie solitaire, mais il contracta le vice de boire en secret, tout seul, de sorte que, lorsqu'il revint du désert, il avait l'air plus vieilli, plus usé, plus égaré que ne l'eût fait présumer la vie funèbre qu'il avait menée.

Vous connaissez le dicton: un homme qui a passé plus d'un an seul, dans la jungle, n'a plus, jusqu'à la fin de ses jours, l'esprit tout à fait sain.

Les gens mettaient les façons étranges et bourrues de Moriarty sur le compte de la solitude, et selon eux, cela prouvait que le gouvernement gâtait l'avenir de ses meilleurs serviteurs.

Moriarty avait jeté les bases de son excellente réputation en construisant des ponts, des digues, des poutres en fer. Mais toutes les nuits de la semaine, il savait qu'il ruinait cette réputation en absorbant du Trois Étoiles, du Christopher, de petites rasades de liqueurs et d'autres poisons de cette sorte.

Il avait une constitution saine et un cerveau vigoureux, sans quoi il n'y aurait pas tenu et serait mort dans son district perdu, comme un chameau malade.

C'est ce qu'avaient fait avant lui des gens qui lui étaient supérieurs.

Le gouvernement l'envoya à Simla, après l'avoir rappelé du district, et il s'y rendit dans l'intention de solliciter un poste qui se trouvait alors vacant.

Cette saison-là, mistress Reiver,—que vous n'avez peut-être pas oubliée,— était à l'apogée de sa puissance, et bien des hommes subissaient son joug.

On a déjà dit de mistress Reiver, dans un autre récit, tout le mal qu'on peut dire d'elle.

Moriarty était d'une solide carrure, beau garçon, très tranquille, et il mettait un empressement fébrile à plaire aux gens quand il n'était point absorbé dans ses pensées.

Il sursautait facilement à un bruit soudain, ou quand on lui adressait la parole sans préambule; à dîner, quand vous le regardiez boire son verre d'eau, vous pouviez observer, dans sa main, un léger tremblement. Mais on mettait tout cela sur le compte de la nervosité; le monotone, le constant «encore un peu» et «encore un peu», prononcé dans sa chambre, quand il s'y trouvait seul, était ignoré de tous: chose miraculeuse, quand on sait à quel point tous les détails de la vie privée sont ici du domaine public.

Moriarty ne fut point englobé dans le cercle qui entourait mistress Reiver, car il n'eût point été, là, dans son élément, mais il n'en subit pas moins le pouvoir de cette dernière.

Il tomba à genoux devant elle et la regarda comme une déesse.

Cela venait de ce que, tout frais sorti de la jungle, il tombait dans une grande ville.

Il ne savait pas réduire les choses à leur juste proportion, ni les voir telles qu'elles étaient.

Mistress Reiver étant froide et dure, il la déclarait imposante, pleine de dignité.

Comme elle n'avait pas de cervelle et ne savait pas causer avec esprit, il la disait réservée et timide.

Timide, mistress Reiver!

Parce qu'elle ne méritait l'estime ni le respect de personne, il la respectait de loin et lui reconnaissait toutes les vertus de la Bible, et la plupart de celles qui se trouvent dans Shakespeare.

Ce gros homme, sombre, distrait, si nerveux quand il entendait un cheval trotter derrière lui, était devenu le satellite de mistress Reiver, et il rougissait de plaisir quand elle lui disait un mot ou deux.

Son admiration était rigoureusement platonique; les autres femmes elles-mêmes le voyaient et en convenaient.

Il ne sortait jamais dans Simla, de sorte qu'il n'entendait rien dire contre son idole.

C'était tout ce qu'il fallait.

Mistress Reiver ne lui accordait aucune attention particulière.

Elle ne voyait en lui qu'un nouvel admirateur à inscrire sur l'interminable liste de ses conquêtes.

Elle allait de temps à autre faire une promenade avec lui, rien que pour montrer qu'il était sa chose, et qu'elle pouvait le revendiquer.

Moriarty faisait sans doute presque tous les frais de la conversation, car mistress Reiver n'avait pas grand'chose à dire à un homme d'un tel niveau, et le peu qu'elle disait n'aurait pu être de grand profit.

Ce à quoi croyait Moriarty, et cela pour de bonnes raisons, c'était à l'influence qu'exerçait sur lui mistress Reiver. Convaincu de cela, il entreprit sérieusement de se défaire du seul vice qu'il se connût.

Il dut éprouver des sensations toutes particulières au cours de cette lutte, mais il ne les a jamais décrites.

Parfois, il s'abstenait pendant toute une semaine de tout ce qui n'était pas de l'eau. Puis, par un jour de pluie, quand personne ne l'avait invité à dîner, quand il avait un grand feu dans sa chambre et qu'il s'y trouvait très confortablement installé, il restait chez lui, s'offrait une nuit entière de petites rasades, tout en bâtissant des plans pour s'amender, et finissait par se jeter sur son lit, complètement ivre.

Le lendemain matin, il avait mal aux cheveux.

Certain soir, la catastrophe se produisit.

Il avait l'esprit troublé par les efforts qu'il faisait pour «se rendre digne de l'amitié» de mistress Reiver.

Les dix derniers jours s'étaient fort mal passés et il reçut tout l'arriéré de deux ans et neuf mois de petites rasades, sous la forme d'un accès de *delirium tremens* d'un caractère atténué.

La crise commença par de la dépression, des idées de suicide se manifestant par sauts et par bonds, par de l'hystérie, pour finir par des propos absolument délirants.

A voir le pauvre Moriarty assis dans sa chaise devant le feu, à le voir aller et venir par la chambre, déchiquetant un mouchoir en petits morceaux, vous auriez cru qu'il pensait réellement à mistress Reiver car, dans ses divagations, il parlait d'elle et de sa propre chute, tout en entremêlant quelques calculs de mécanique à l'écheveau de ses idées.

Il parlait, parlait, parlait, d'une voix sèche, basse, s'adressant à lui-même, et rien ne pouvait l'arrêter.

Il semblait se douter que quelque chose allait de travers.

A deux reprises, il fit un effort pour se maîtriser et pour parler raisonnablement au docteur, mais aussitôt son esprit se dérobait à tout contrôle, et il reprenait son monologue à voix basse, recommençant l'histoire de ses ennuis.

C'est chose terrible que d'entendre un gros homme babiller comme un enfant sur toutes ces sortes de choses qu'un homme garde ordinairement pour lui et renferme au plus profond de son cœur.

Moriarty exhiba ainsi le contenu de son âme au profit de quiconque se trouvait dans la pièce, depuis dix heures et demie ce soir-là jusqu'à deux heures trois quarts le lendemain matin.

Par ce qu'il débita, on put juger quelle énorme influence mistress Reiver exerçait sur lui, et combien il se sentait profondément déchu.

On ne saurait évidemment rapporter ici ce qu'il murmura, mais ce fut chose instructive, car cela montrait combien il se trompait dans ses évaluations.

....

Quand la crise fut dissipée, et que ses rares amis se furent apitoyés sur l'accès de fièvre de la jungle qui l'avait mis si bas, Moriarty fit un grand serment à part lui, et recommença à sortir avec mistress Reiver pour toute la durée de la saison, l'adorant d'une façon discrète et respectueuse, comme un ange du ciel.

Plus tard, il s'adonna aux promenades à cheval sur de vrais chevaux et non des rosses de louage.

C'était une preuve certaine qu'il s'amendait, et vous pouviez fermer bruyamment une porte derrière lui sans le faire bondir et lui couper la respiration.

C'était encore là un motif d'espoir.

Comment tint-il son serment, et combien cela lui coûta-t-il dans les premiers temps, personne ne le sait.

Il vint certainement à bout de la tâche la plus ardue que puisse s'imposer un homme qui a bu avec excès. En déjeunant, il prenait son brandy et soda et son vin, mais il ne buvait jamais seul, et ne buvait jamais au point d'être à la merci de ce qu'il avait bu.

Un jour, il conta l'histoire de sa grande épreuve à un ami intime, disant qu'il devait son salut à «l'influence d'une pure et honnête femme, d'un ange, pour tout dire».

Son auditeur, surpris d'entendre dire quelque chose d'élogieux sur le compte de mistress Reiver, éclata de rire; ce rire lui coûta l'amitié de Moriarty.

Et Moriarty, qui aujourd'hui est marié avec une femme dix mille fois meilleure que mistress Reiver, à une femme convaincue que nul homme au monde n'est aussi bon, aussi intelligent que son mari,—Moriarty, donc, mourra en déclarant sous serment que mistress Reiver l'a sauvé de sa perdition dans ce monde et dans l'autre.

Personne ne crut un seul instant qu'elle avait eu connaissance du vice de Moriarty.

Si elle l'avait su, elle lui aurait brusquement tourné le dos, elle l'aurait repoussé avec mépris, et aurait fait part de sa découverte à tous ses amis. Pas un de ceux qui la connaissaient n'avait le moindre doute à ce sujet.

Moriarty la prit pour ce qu'elle ne fut jamais, et cette illusion le sauva.

Le résultat fut exactement le même que si elle avait été en toute chose telle qu'il se l'imaginait.

Mais il reste à savoir quelle part mistress Reiver pourra réclamer dans le salut de Moriarty, lorsqu'elle sera appelée elle-même à rendre ses comptes.

UNE ESCROQUERIE FINANCIÈRE

Il buvait des liqueurs fortes et son langage était grossier; il achetait des effets et évitait de les payer; il «collait» des chevaux aux jeunes naïfs et il gagnait d'une façon suspecte aux concours athlétiques. Puis, entre un vice et une folie, il se cachait pour faire de bonnes actions, et pour les cacher, il mentait.

LE MESS.

Si Reggie Burke était actuellement dans l'Inde, il serait fort mécontent qu'on racontât cette histoire; mais il est à Hong-Kong, il ne la lira point, et on ne risque rien à la redire.

Reggie Burke est l'auteur de cette grande escroquerie, dont fut victime la banque du Sind et de Sialkote.

Il était gérant d'une succursale du Haut Pays.

C'était un homme doué d'un grand sens pratique, et connaissant à fond le mécanisme du prêt aux indigènes et des assurances.

Il savait mener de front les frivolités de l'existence et les devoirs de sa profession et s'en tirait fort bien.

Reggie Burke montait tous les chevaux qui consentaient à se laisser monter, dansait avec autant de grâce qu'il montait, et on avait recours à lui chaque fois qu'on organisait quelque divertissement à la Station.

Ainsi qu'il le disait lui-même, ainsi que bon nombre de gens s'en aperçurent à leur grande surprise, il y avait deux Burke, également à votre service. D'abord Reggie Burke, de quatre à dix, prêt à n'importe quoi, depuis une partie sur le *gymkhana*[20] par temps chaud jusqu'à un pique-nique à cheval, et de dix à quatre, M. Reginald Burke, gérant de la succursale de la banque du Sind et de Sialkote.

[20] Stade, terrain de sports.

Vous pouviez jouer au polo avec lui dans l'après-midi, et l'entendre s'exprimer en termes nets sur le compte d'un mauvais joueur; vous pouviez aussi aller le voir, le lendemain, pour négocier un emprunt de deux mille roupies sur une police d'assurance de cinq mille livres, dont les primes déjà payées s'élèvent à quatre-vingts livres.

Il vous reconnaissait, mais vous aviez quelque peine à le reconnaître.

Les directeurs de la banque,—elle avait son siège central à Calcutta, et les avis de son directeur général avaient du poids auprès du gouvernement,—choisissaient leurs hommes avec soin.

Ils avaient soumis Reggie à une épreuve, à un entraînement des plus sévères. Ils avaient en lui autant de confiance qu'un directeur général peut en témoigner aux directeurs de ses succursales.

Vous verrez vous-même si cette confiance était mal placée.

La succursale de Reggie était située dans une Station importante, et comportait le personnel habituel: le gérant, le comptable,—tous deux Anglais,—un caissier, et une foule d'employés indigènes, sans compter, le soir, les patrouilleurs de la police devant la porte.

La besogne courante, pour cette banque située dans un pays riche, consiste en *hoondi*[21] et en prêts de toutes sortes.

[21] Lettres de change.

Un imbécile est incapable de s'assimiler ce genre d'affaires.

Un homme intelligent, qui ne fréquenterait pas ses clients, qui ne connaîtrait pas leurs affaires par le menu, serait pire qu'un imbécile.

Reggie était un homme de figure jeune, rasé de près, à l'œil vif; rien ne pouvait lui troubler l'esprit, sinon un gallon du madère des Artilleurs.

Un jour, à un grand dîner, il annonça incidemment que les directeurs lui avaient expédié d'Angleterre une curiosité naturelle pour son service de comptabilité.

Il avait parfaitement raison.

M. Silas Riley, comptable, était un animal des plus curieux. C'était un naturel du Yorkshire, long, dégingandé, osseux, tout pétri de ce sauvage amour-propre qui ne fleurit que dans le meilleur des comtés anglais.

Le terme d'arrogance serait trop doux pour exprimer l'attitude mentale de M. Riley. Il avait mis sept ans à conquérir la fonction de caissier dans une banque de Huddersfield, et toute son expérience se bornait aux manufactures du nord.

Peut-être aurait-il mieux réussi du côté de Bombay, où l'on se contente d'un demi pour cent de profit et où l'argent est bon marché. Il ne valait rien pour l'Inde Supérieure, pour une province à blé, où il faut une forte tête et une certaine souplesse d'imagination pour arriver à un bilan satisfaisant.

Riley avait l'esprit singulièrement étroit en affaires, et, nouveau venu dans le pays, il ignorait totalement que la banque, dans l'Inde, diffère absolument de ce qu'elle est dans la métropole.

Comme la plupart des gens intelligents qui sont fils de leurs œuvres, il avait une grande simplicité de jugement et s'était imaginé, pour une raison ou pour une autre, d'après les termes de courtoisie banale dont on s'était servi dans sa lettre d'engagement, que les directeurs l'avaient choisi à cause de ses mérites particuliers et exceptionnels et qu'ils faisaient grand cas de lui. Cette idée s'accrut, se cristallisa, et, dès lors, il ne manqua rien à sa vanité naturelle d'homme du Nord.

En outre, il était de santé délicate, il souffrait de quelque faiblesse de poitrine, ce qui le rendait peu patient.

Ne pensez-vous pas que Reggie avait bien raison de qualifier son nouveau comptable de «curiosité naturelle»?

Les deux hommes se déplurent mutuellement dès l'abord. Dans l'opinion de Riley, Reggie était un fou et un écervelé, qui s'adonnait à Dieu sait quels désordres dans des endroits suspects connus sous le nom de Mess, et, d'ailleurs, absolument dépourvu de ce qu'il fallait pour exercer la profession sérieuse et solennelle de banquier.

Il ne pouvait se faire à l'air jeune de Reggie, à son expression qui voulait dire: «Allez au diable!». Il ne comprenait pas les amis de Reggie, ces officiers bien bâtis et insouciants qui venaient à cheval, le dimanche, faire de grands déjeuners à la banque, et qui contaient des histoires si lestes que lui, Riley, se levait et quittait la salle.

Riley ne cessait de montrer à Reggie comment il fallait que les affaires fussent conduites, et Reggie dut, plus d'une fois, lui rappeler qu'une expérience de sept années, entre Huddersfield et Beverley n'était guère propre à mettre un homme en état de diriger une grosse affaire dans le Haut Pays.

Alors Riley boudait, il se représentait comme une des colonnes de la banque, comme un favori des directeurs, et Reggie s'arrachait les cheveux.

Lorsqu'un homme dans ce pays-ci ne peut plus compter sur ses subordonnés anglais, il passe de mauvais moments, car l'utilisation des indigènes est étroitement limitée.

En hiver, Riley souffrait de la poitrine pendant des semaines consécutives, et sa besogne s'ajoutait à celle de Reggie, qui préférait encore cela aux continuels frottements résultant de la présence de Riley.

Un des inspecteurs de la banque découvrit ces défaillances au cours d'une tournée et fit son rapport aux directeurs.

Or, Riley avait été imposé à la banque par un membre du Parlement, qui avait besoin du vote de Riley père, et celui-ci, de son côté, était désireux d'envoyer son fils dans un pays chaud à cause de ses poumons malades.

Le membre du Parlement avait des capitaux dans la banque, mais un des directeurs voulait donner de l'avancement à un de ses protégés; de sorte que, le père Riley étant mort, ce directeur fit comprendre à ses collègues qu'un comptable qui était malade six mois sur douze ferait mieux de céder la place à un homme bien portant.

Si Riley avait connu le véritable motif de sa nomination, il se serait conduit avec plus de mesure; comme il l'ignorait, ses accès de maladie alternaient avec des périodes où il ne cessait de tourmenter, d'agacer Reggie par son indiscrète intervention, par les mille petits moyens qu'un subalterne infatué de lui-même sait mettre en jeu.

Reggie, pour se soulager, lui lançait, dès qu'il tournait le dos, des injures énormes à faire dresser les cheveux, mais il ne le malmenait jamais en face.

—Riley, disait-il, est un animal si fragile que la bonne moitié de son outrecuidance vient de sa maladie de poitrine.

Vers la fin du mois d'avril, Riley tomba malade pour tout de bon.

Le médecin l'ausculta et lui dit qu'il ne tarderait pas à se remettre.

Puis il prit Reggie à part et lui dit:

—Vous doutez-vous à quel point votre comptable est malade?

—Non, dit Reggie. S'il va mal, tant mieux, que le diable l'emporte! Il est insupportable quand il va bien. Si vous pouvez le faire taire, avec vos drogues, pendant les chaleurs, je vous autorise à emporter le coffre-fort de la banque.

Mais le docteur ne riait pas.

—Mon cher, je ne plaisante pas, dit-il. Je lui donne encore trois mois à passer au lit, et une semaine de plus pour y mourir. Sur mon honneur et ma réputation, c'est tout le répit qu'il peut obtenir dans ce monde. Il est phtisique jusqu'à la moelle.

La figure de Reggie devint aussitôt celle de M. Reginald Burke, et il répondit:

—Qu'est-ce que je peux faire?

—Rien, dit le docteur. On peut le considérer en fait comme un homme mort. Faites qu'il soit tranquille et gai. Dites-lui qu'il est en train de se rétablir. Voilà tout. Je le soignerai, naturellement, jusqu'au bout.

Le docteur partit, et Reggie s'assit pour dépouiller le courrier du soir.

La première lettre qu'il y trouva venait des directeurs. Elle avait pour but de l'informer que M. Riley devait cesser ses fonctions dans un délai d'un mois, aux termes des conventions. Elle avisait Reggie que la lettre destinée à Riley allait suivre et prévenait Reggie de l'arrivée d'un nouveau comptable, que Reggie connaissait et appréciait.

Reggie alluma un cigare et, avant qu'il eût fini de le fumer, il avait esquissé le plan d'une supercherie.

Il fit disparaître la lettre du directeur et alla voir Riley, qui était aussi grognon que d'habitude et qui se demandait avec beaucoup d'inquiétude comment la banque marcherait pendant sa maladie.

Il ne songea pas un instant au surcroît de besogne qui allait incomber à Reggie. Il ne pensait qu'au retard qui en résulterait pour son avancement.

Alors Reggie l'assura que tout irait bien, et que lui, Reggie, viendrait tous les jours le consulter sur la direction de la banque.

Riley fut un peu radouci, mais laissa entendre fort clairement qu'il ne croyait guère à l'aptitude de Reggie pour les affaires.

Reggie se fit humble. Pourtant il avait dans son bureau des lettres des directeurs, dont le meilleur gérant de succursale se fût montré fier.

Les jours passèrent dans la grande maison sombre, et la lettre de renvoi destinée à Riley arriva. Elle fut mise de côté par Reggie, qui, chaque jour, portait les registres chez Riley et lui rendait compte de ce qui avait été fait; Riley l'écoutait en grognant.

Reggie faisait de son mieux pour montrer les choses sous un jour qui plût a Riley, mais le comptable était convaincu que la banque courait à sa perte, à une débâcle, puisqu'il n'était pas là.

En juin, comme le séjour au lit lui faisait perdre de son aplomb, il demanda si son absence avait été remarquée des directeurs, et Reggie lui parla de lettres fort sympathiques, dans lesquelles on exprimait l'espoir qu'il serait bientôt en état de reprendre un poste où il rendait tant de services.

Il montra les lettres à Riley, mais Riley dit que l'on aurait dû lui écrire directement.

Quelques jours après, Reggie ouvrit le courrier de Riley dans la pénombre de la pièce et lui donna, en gardant l'enveloppe, une lettre des directeurs adressée à lui, Riley.

Celui-ci dit à Reggie qu'il lui saurait gré de ne pas mettre le nez dans ses papiers personnels, et cela d'autant plus que M. Burke le savait trop faible pour ouvrir ses propres lettres.

Reggie fit des excuses.

Alors l'humeur de Riley changea, et il fit à Reggie des observations sur sa mauvaise conduite: ses chevaux, ses amis dangereux.

—Naturellement, monsieur Burke, tel que me voilà, étendu sur le dos, je ne puis pas vous maintenir dans le bon chemin, mais quand j'irai mieux, *j'espère* que vous prêterez quelque attention à ce que je vous dis.

Reggie, qui avait renoncé au polo, aux dîners, au tennis, tout cela pour s'occuper de Riley, répondit qu'il se repentait. Il arrangea l'oreiller sous la tête de Riley, l'entendit bougonner, répliquer en phrases dures, sèches, entrecoupées, et ne trahit aucune impatience.

C'était ainsi qu'il achevait une fatigante journée de bureau, où il faisait double besogne, dans la deuxième quinzaine de juin.

Quand le nouveau comptable arriva, Reggie le mit au courant de la situation. Il annonça à Riley qu'il avait un hôte chez lui.

Riley fut d'avis que M. Burke eût dû réfléchir avant de recevoir «ses amis équivoques» en un tel moment. En conséquence, Reggie pria Carron, le nouveau comptable, de coucher au Club.

L'arrivée de Carron soulagea Reggie d'une partie du gros travail, et il eut davantage de temps pour subir les exigences de Riley, pour expliquer, adoucir, inventer, davantage de temps pour arranger et réarranger dans son lit le malheureux, et pour fabriquer des lettres flatteuses supposées venir de Calcutta.
A la fin du premier mois, Riley témoigna le désir d'envoyer quelque argent à sa mère en Angleterre.
Reggie envoya le bon.
A la fin du second mois, Riley reçut son salaire comme à l'ordinaire; Reggie l'avait payé de sa poche, et il y avait joint une belle lettre envoyée à Riley par les directeurs.
Riley était au plus bas, mais la flamme de sa vie vacillait très irrégulièrement. De temps à autre, il se montrait gai et plein de confiance dans l'avenir. Il faisait des plans pour aller au pays voir sa mère.
Reggie, quand le travail du bureau était terminé, l'écoutait avec patience et l'encourageait.
A d'autres moments, Riley insistait pour que Reggie lui lût la Bible et d'ennuyeux tracts méthodistes. Il tirait de ces tracts des allusions morales qu'il dirigeait contre son gérant. Mais il lui restait toujours le temps de tracasser Reggie au sujet de la direction de la banque, et de lui en montrer les côtés faibles.
Cette vie renfermée, dans une chambre de malade, et cette tension constante déprimaient notablement Reggie, lui ébranlaient les nerfs; il baissa même de

quarante points au billard; mais il fallait continuer à faire marcher la banque et à s'occuper du malade, par une température de 46° à l'ombre.

A la fin du troisième mois, Riley baissa rapidement, et commença à se rendre compte qu'il était très malade. Mais la vanité qui le portait à tourmenter Reggie l'empêcha de croire au pire.

—Il a besoin de quelque espèce de stimulant intellectuel, s'il doit traîner encore quelque temps, dit le docteur. Occupez-le, intéressez-le à la vie, pour peu que vous teniez à ce qu'il vive.

En conséquence, et malgré toutes les lois des affaires et de la finance, Riley reçut des directeurs une augmentation de salaire de vingt-cinq pour cent.

Le «stimulant moral» eut un effet merveilleux.

Riley était heureux et gai, et, comme cela se voit souvent chez les phtisiques, sa santé mentale était d'autant meilleure que sa santé physique devenait plus mauvaise.

Il languit tout un mois, grognon, taquin en ce qui concernait la banque, parlant d'avenir, se faisant lire la Bible, sermonnant Reggie sur le péché, et se demandant à quel moment lui, Riley, serait en état de sortir.

Mais à la fin de septembre, un soir où la chaleur était implacable, il se souleva sur son lit, un peu essoufflé, et dit à Reggie d'une voix rapide:

—Monsieur Burke, je suis sur le point de mourir. Je le sens en moi. Ma poitrine est toute creuse, et je n'ai plus de quoi respirer. Autant que je sache, je n'ai rien fait,—et il reprit inconsciemment l'accent de son enfance,—rien fait qui pèse lourdement sur ma conscience. Grâce à Dieu, j'ai été préservé des formes les plus grossières du péché; quant à *vous*, monsieur Burke, je vous engage...

Alors sa voix s'éteignit. Reggie se pencha sur lui.

—... Envoyez à ma mère mes appointements de septembre... fait de grandes choses avec la banque, si j'avais été épargné... système erroné... pas ma faute...

Alors il tourna sa figure du côté du mur et mourut.

Reggie lui ramena le drap sur le visage et sortit sous la véranda, ayant en poche son dernier «stimulant mental», une lettre où s'exprimait la sympathie des directeurs, et dont il n'avait pas eu le temps de faire usage.

—Si j'étais venu seulement dix minutes plus tôt, pensait Reggie, j'aurais pu lui donner assez de courage pour le faire durer un jour de plus.

L'AMENDEMENT TODS

Le monde a posé son joug pesant sur les vieilles gens à barbe blanche, qui s'évertuent à plaire au roi. La miséricorde divine est sur les jeunes; la sagesse divine est dans la bouche des petits enfants, qui ne craignent rien du tout.

LA PARABOLE DE CHAJJU BHAGAT.

Sachez donc que la maman de Tods était une femme singulièrement charmante, et qu'à Simla tout le monde connaissait Tods.

Bien des gens l'avaient sauvé de la mort une fois ou l'autre. C'était un gaillard qui échappait sans cesse à la surveillance de son *ayah*[22] et mettait tous les jours sa vie en péril en cherchant à savoir ce qui adviendrait en tirant la queue à une mule d'artillerie de montagne.

[22] Servante indigène.

C'était un petit païen sans peur. Il avait environ six ans, et ce fut le seul bébé qui ait jamais troublé le calme sacré du Suprême Conseil législatif.

Voici comment la chose arriva.

Le chevreau favori de Tods s'échappa, et s'enfuit vers la hauteur, par la route de Boileaugunge, Tods courant après lui, et il finit par faire irruption sur la pelouse de la résidence du vice-roi.

Le Conseil était en séance et, comme il faisait chaud, les fenêtres étaient ouvertes.

Le lancier rouge, de garde sous le porche, dit à Tods de s'en aller, mais Tods connaissait personnellement le lancier rouge et la plupart des membres du Conseil.

En outre, il tenait solidement le chevreau par le collier, et le chevreau le traînait au milieu des plates-bandes de fleurs.

—Donnez le *Salaam*[23] de ma part au grand conseiller sahib et dites-lui qu'il vienne m'aider à ramener *Moti*, dit Tods, tout haletant.

[23] Salut.

Le Conseil entendit le bruit par les fenêtres ouvertes, et quelques instants après on eut le spectacle choquant d'un conseiller juridique et d'un vice-gouverneur qui, sous la direction d'un commandant en chef et d'un vice-roi, aidaient un petit garçon très sale, à la tignasse brune tout ébouriffée et vêtu d'un costume marin, à maintenir un chevreau plein de vivacité et fort indocile.

Ils le conduisirent par l'allée jusqu'au Mail; Tods rentra triomphant et annonça à sa maman que *tous* les sahibs conseillers l'avaient aidé à reprendre *Moti*.

Sur quoi la maman de Tods le tança pour avoir mis le trouble dans l'administration de l'Empire, mais le lendemain Tods rencontra le conseiller juridique et lui dit en confidence que s'il avait jamais besoin d'attraper une chèvre, lui, Tods, l'aiderait de tout son pouvoir:

—Grand merci, Tods, répondit le conseiller juridique.

Tods était l'idole d'environ quatre-vingts porteurs de palanquins et d'une quarantaine de Saïs. Il les saluait tous d'un cordial: «O frère!»

Il ne lui était jamais entré dans la tête qu'un être humain fût capable de désobéir à ses ordres, et il servait de tampon entre les domestiques et la colère de sa maman.

Tods, adoré de tous, depuis le blanchisseur jusqu'au valet des chiens, était la cheville ouvrière du logis. Même Futteh-Khan, l'odieux vagabond de Mussoorie, évitait d'encourir le mécontentement de Tods, craignant de se faire ainsi regarder de travers par ses égaux.

Ainsi Tods était considéré dans le pays, depuis Boileaugunge jusqu'à Chota Simla, et gouvernait avec justice dans la mesure de ses lumières.

Naturellement, il parlait l'hindoustani, mais il avait aussi appris maints curieux idiomes parallèles, tels que le *chotee bolee* des femmes, et il s'entretenait gravement avec les boutiquiers comme avec les coolies de la montagne.

Il était précoce pour son âge, et ses rapports avec les indigènes lui avaient appris quelques-unes des plus amères vérités de la vie, et combien elle était laide et sordide.

Il avait l'habitude, tout en mangeant son pain et en buvant son lait, de débiter des aphorismes sérieux et solennels, traduits de la langue courante en anglais, lesquels faisaient sursauter sa maman, qui se promettait bien alors de renvoyer Tods en Angleterre l'été suivant.

A l'époque même où Tods était à l'apogée de sa puissance, la législature suprême fabriquait un projet de loi pour les régions situées au pied des montagnes. Il s'agissait de reviser un acte alors en vigueur, moins important que le bill foncier du Punjab, mais qui n'en intéressait pas moins quelques centaines de mille âmes.

Le conseiller juridique avait bâti, rembourré, brodé, amendé ce projet jusqu'à ce qu'il parût beau, sur le papier.

Alors le Conseil se mit à travailler ce qu'on appelait les «détails secondaires», comme si le premier Anglais venu, légiférant pour les indigènes, en savait assez long pour connaître quels sont les détails secondaires et quels sont les détails essentiels, au point de vue indigène, dans une décision quelconque.

Le projet était le chef-d'œuvre du genre: «Sauvegarder les intérêts du tenancier.»

Un article prescrivait que la terre ne devait pas être louée pendant une période de plus de cinq années consécutives, parce que le propriétaire, s'il avait un tenancier lié pour plus longtemps, pour vingt ans par exemple, le pressurerait jusqu'à ce qu'il en mourût.

Le but qu'on se proposait, c'était de conserver une classe de cultivateurs indépendants dans les régions sous-montagneuses.

Du point de vue de l'ethnologie et de la politique, l'idée était juste. Le seul inconvénient de la chose était de porter entièrement à faux.

La vie d'un indigène, dans l'Inde, implique la vie de son fils.

En conséquence, il est impossible de légiférer pour une seule génération à la fois. Il faut tenir compte de la suivante, en se plaçant au point de vue indigène.

Et chose assez curieuse, l'indigène, ici ou là, mais surtout dans l'Inde du nord, déteste qu'on le protège trop contre lui-même.

Il y avait une fois un village Naga, où l'on mangeait les morts, mais où l'on enterrait les mules de l'Intendance… mais ceci est une autre histoire.

Pour bien des raisons qu'on déduira plus tard, les gens que le projet intéressait n'en voulaient guère.

Le membre indigène du Conseil en savait autant sur les habitants du Punjab que sur Charing Cross.

Il avait dit, à Calcutta, que «le projet était entièrement conforme aux désirs de cette classe nombreuse et importante, celle des cultivateurs», etc., etc.

La connaissance qu'avait des indigènes le conseiller juridique, était bornée à celle des *Durbaris* qui parlent anglais, et à celle de son propre *chaprassis*[24] rouge.

[24] Garçon de bureau.

Quant aux pays du pied des montagnes, ils n'intéressaient personne en particulier.

Les sous-commissaires étaient beaucoup trop passifs pour faire des représentations, et la mesure dont il s'agissait ne portait que sur de petits cultivateurs.

Néanmoins, le conseiller juridique souhaitait ardemment que son projet fût bon, car c'était un homme scrupuleux à l'extrême. Il n'ignorait pas que nul ne peut savoir ce que pensent les indigènes, à moins de se mêler avec eux, en se dépouillant de tout vernis. Et alors même on n'y arrive pas toujours. Mais il faisait de son mieux, selon ce qu'il savait. Le projet fut présenté au Conseil pour recevoir le dernier coup de pinceau, pendant que Tods, au cours de ses chevauchées matinales, allait et venait dans le bazar, jouait avec le singe du marchand Ditta Mull, et écoutait, comme un enfant peut écouter, les propos divers au sujet de ce nouvel exploit des *Lat Sahibs*.

Un jour, il y avait grand dîner chez la maman de Tods, et le conseiller juridique était des convives.

Tods était au lit, mais il resta éveillé jusqu'à l'heure où il entendit les éclats de rire des hommes, qui prenaient le café.

Alors il s'esquiva dans sa petite robe de chambre en flanelle rouge et son costume de nuit, et vint se réfugier auprès de son père, sachant bien qu'on ne le renverrait pas.

—Vous voyez combien on est malheureux d'avoir de la famille, dit le père de Tods, en donnant à celui-ci trois prunes et de l'eau, dans un verre où l'on avait bu du bordeaux, et en lui recommandant de se tenir tranquille.

Tods suça lentement les prunes, car il savait qu'il lui faudrait partir dès qu'il aurait fini, et dégusta l'eau rougie comme un homme du monde, en écoutant la conversation.

Bientôt le conseiller juridique, parlant «métier» à un chef de service, mentionna son projet de loi, en le désignant de tout son titre: «Le règlement revisé *Ryotwary* pour les régions du pied des montagnes.»

Tods saisit au vol le seul mot indigène, et enflant sa voix fluette, dit:

—Oh! je sais tout ça! Est-ce qu'il a été *murramutté*, conseiller Sahib?

—Hein? quoi? dit le conseiller juridique.

—*Murramutté*... corrigé, vous savez bien, arrangé, pour faire plaisir à Ditta Mull?

Le conseiller juridique quitta sa place pour en prendre une autre à côté de Tods.

—Qu'est-ce que tu connais, en fait de *Ryotwary*, mon petit homme? dit-il.

—Je ne suis pas un petit homme, je suis Tods, et je connais tout ça. Ditta Mull, et Choga Lall, et Amir Nath et... un tas d'autres amis m'en parlent dans les bazars quand je cause avec eux.

—Ah! vraiment! Et qu'en disent-ils, Tods?

Tods rentra ses pieds sous sa robe de chambre de flanelle rouge et dit:

—Il faut que je cherche.

Le conseiller juridique attendit patiemment.

Alors Tods dit avec une compassion infinie:

—Vous ne parlez pas mon langage, n'est-ce pas, conseiller Sahib?

—Non, j'en suis fâché, mais je ne le parle pas, dit le conseiller juridique.

—Très bien, dit Tods. Alors il faut que je pense en anglais.

Il resta une minute à classer ses idées et commença à parler avec lenteur, traduisant mentalement de la langue parlée en anglais, comme font beaucoup d'enfants anglo-indiens.

Vous devez bien penser que le conseiller l'aida par des questions quand il demeurait court, car Tods n'était pas en mesure de prononcer tout d'un trait le morceau d'éloquence qui suit.

—Ditta Mull dit: «Cette chose-là est un propos d'enfant, et a été mise sur pied par des imbéciles.» Mais moi, je ne crois pas que vous soyez un imbécile, reprit aussitôt Tods, car vous avez rattrapé ma chèvre. Voilà ce qu'il dit, Ditta Mull: «Je ne suis pas un sot, et pourquoi le *Sirkar*[25] dit-il que je suis un enfant? Je puis bien voir si la terre est bonne, et si le propriétaire est bon. Si je suis un sot, c'est sur ma tête que la faute retombe. Je prends ma terre pour cinq ans; j'ai mis de l'argent de côté à cette intention; je prends aussi une femme, et il me naît un petit garçon.» Ditta Mull n'a qu'une fille, mais il prétend qu'il aura bientôt un garçon. Et il dit: «A la fin des cinq ans, en vertu de ce nouveau règlement foncier, il faut que je parte. Si je ne pars pas, il faut que je paie de nouveaux sceaux et que je fasse mettre d'autres timbres sur les papiers. Cela peut tomber au milieu de la moisson. Aller une fois devant les tribunaux, c'est de la sagesse, mais y aller une seconde fois, c'est de la folie.» Ça, c'est parfaitement vrai, expliqua gravement Tods, tous mes amis le pensent. Et Ditta Mull dit: «Toujours payer de nouvelles taxes, et donner encore de l'argent aux avoués, aux *chaprassis* et aux tribunaux tous les cinq ans, sans quoi le propriétaire m'obligera à partir? Pourquoi m'en irais-je? Suis-je donc un sot? Si je suis un sot, et qu'au bout de quarante ans je ne connaisse pas la bonne terre, quand je la vois, alors que je meure! Mais si le nouveau *bundobust*[26] parlait de *quinze ans*, à la bonne heure, cela serait bon et juste. Mon petit garçon est devenu un homme, je suis fini, et il prend la terre ou une autre terre, en ne payant qu'une fois l'impôt du timbre sur les papiers. Il lui naît un petit garçon, qui est aussi un homme à la fin des quinze ans. Mais à quoi bon de nouveaux papiers tous les cinq ans? Ça ne sert qu'à causer des tracas et encore des tracas. Nous autres qui prenons ces terres, nous ne sommes pas des jeunes gens, mais des vieux; nous ne sommes pas des *jâts*[27], mais des commerçants ayant un peu d'argent, et pendant quinze ans nous serons tranquilles. Et nous ne sommes pas non plus des enfants pour que le *Sirkar* nous traite ainsi.»

[25] *Sirkar*: le chef, l'autorité suprême.

[26] Règlement.

[27] *Jâts*: peuplade agricole du Punjab.

Tods s'arrêta court, car tous les invités l'écoutaient.

Le conseiller dit alors:

—Est-ce là tout?

—C'est tout ce dont je me souviens, dit Tods, mais vous devriez bien aller voir le gros singe de Ditta Mull. Il ressemble tellement à un conseiller Sahib.

—Tods, dit le père, va te coucher.

Tods ramassa la traîne de sa robe de nuit et s'en alla.

Le conseiller juridique laissa tomber sa main brusquement sur la table.

—Par Jupiter, fit-il, je trouve que le petit a raison. Le bail à court terme, voilà le point faible.

Il prit congé de bonne heure, en réfléchissant à ce qu'avait dit Tods.

Il était évidemment impossible à un conseiller juridique d'aller jouer avec le singe d'un marchand dans le but de s'éclairer, mais il fit mieux.

Il s'enquit, sans jamais oublier ce fait que l'indigène, le vrai,—non pas l'hybride, l'indigène bâtard qui a passé par l'enseignement universitaire,—s'effarouche aussi aisément qu'un poulain; et peu à peu, avec bien des précautions, il amena quelques-uns de ceux que la mesure intéressait de plus près, à exposer leur manière de voir, qui concordait avec le témoignage de Tods.

Aussi le projet de loi fut-il modifié sur cet article.

Le conseiller était fortement tenté de croire que les membres indigènes du conseil ne représentent guère que les ordres dont leurs poitrines sont chamarrées, et cette pensée le mettait mal à l'aise, mais il l'écarta comme anti-libérale. Car c'était un homme très libéral.

Au bout de quelque temps, la nouvelle se répandit dans les bazars que Tods avait obtenu la modification du bill relatif aux clauses de fermage, et, si sa maman ne s'y était opposée, Tods se serait rendu malade, avec tous les paniers de fruits, de pistaches, de raisins de Caboul, et d'amandes qui s'entassaient dans la véranda.

Jusqu'à son départ pour l'Angleterre, Tods fut de quelques degrés au-dessus du vice-roi dans la considération populaire; mais sa petite personnalité ne put jamais comprendre pourquoi.

Dans la boîte où le conseiller juridique garde ses papiers personnels, se trouve le brouillon de la loi révisée *Ryotwary* relative aux régions du pied des montagnes, et en face de l'article vingt-deux se trouvent les mots suivants, écrits au crayon bleu et que le conseiller a signés: «Amendement Tods.»

LA FILLE DU RÉGIMENT

Jeanne Ardin était la femme d'un sergent. La femme d'un sergent elle était. Elle l'épousa à Aldershot et traversa la mer.

(EN CHŒUR)

Avez-vous jamais entendu parler de Jeanne Ardin, Jeanne Ardin, Jeanne Ardin? Avez-vous jamais entendu parler de Jeanne Ardin, la gloire de la compagnie?

(VIEILLE CHANSON DE CHAMBREE.)

—Un gentleman qui ne connaît pas le Cercle Circassien, ne devrait pas se lever pour en prendre la défense, soit dit sans offenser personne ici.

Voilà ce que disait miss Mac Kenna, et le sergent qui me faisait vis-à-vis avait l'air d'en penser autant.

J'eus peur de miss Mac Kenna.

Elle avait six pieds de haut. Toute jaune de taches de rousseur, les cheveux rouges, elle était simplement vêtue: souliers de satin blanc, toilette de mousseline écarlate, écharpe vert pomme, gants de soie noire, et des roses jaunes piquées dans ses cheveux.

Aussi m'empressai-je de fuir miss Mac Kenna et d'aller trouver mon ami le soldat Mulvaney qui était assis à la cantine.

—Alors vous avez dansé avec la petite Jhansi Mac Kenna, celle qui va se marier avec le caporal Slane? Quand vous vous retrouverez à causer avec vos beaux messieurs et vos belles dames, dites-leur que vous avez dansé avec Jhansi. Il y a là de quoi être fier.

Mais je n'étais point fier: je fus humble.

Je voyais une histoire poindre dans les yeux du soldat Mulvaney; en outre, s'il restait trop longtemps devant le comptoir, j'étais sûr qu'il se qualifierait de nouveau pour le peloton de punition.

Or, c'est chose embarrassante que de rencontrer un ami faisant l'exercice avec chargement complet devant le corps de garde, surtout si cela vous arrive pendant que vous vous promenez avec l'officier qui le commande.

—Allons sur le terrain de manœuvre, Mulvaney; il y fait plus frais, et vous me parlerez de miss Mac Kenna. Qu'est-elle, qui est-elle, et pourquoi l'appelle-t-on Jhansi?

—Voudriez-vous me faire croire que vous n'avez jamais entendu parler de la fille du vieux Pummeloe? Et vous prétendez savoir un tas de choses! Je vous rejoins dans une minute, après avoir allumé ma pipe.

Nous sortîmes sous la nuit étoilée.

Mulvaney s'assit sur un des ponts de l'artillerie, et commença son récit de la façon ordinaire, sa pipe entre les dents, ses grosses mains jointes tombant entre ses genoux, et son bonnet de police bien ramené en arrière.

—Quand mistress Mulvaney, c'est-à-dire quand mistress Mulvaney était miss Shadd, vous étiez beaucoup plus jeune qu'aujourd'hui, et l'armée différait de l'armée actuelle sous bien des rapports.

«Les gars n'ont à présent aucune vocation pour le mariage, et c'est pourquoi il y a dans l'armée si peu de ces femmes vraiment honnêtes, qui sacrent, qui sont à la coule, qui ont le cœur tendre et la démarche d'un troupier, comme il y en avait tant quand j'étais caporal.

«J'ai été cassé depuis, mais ça ne fait rien; j'ai été caporal autrefois. En ce temps-là un homme vivait et mourait avec son régiment; et, comme la nature le veut, il se mariait à l'âge d'homme.

«Depuis le temps où j'étais caporal, par la Mère céleste! le régiment s'est renouvelé du premier homme jusqu'au dernier.

«Mon adjudant, en ce temps-là, c'était le vieux Mac Kenna, un homme marié! Et sa femme,—sa première, vu qu'il s'est marié trois fois, ce vieux Mac Kenna,—c'était Brigitte Mac Kenna, de Portarlington, comme moi.

«Je ne me souviens plus quel était son nom de demoiselle, mais dans la compagnie B, nous l'appelions «la vieille Pummeloe», à cause de sa figure, qui faisait une circonférence parfaite. On aurait dit la grosse caisse.

«Or, cette femme,—Dieu berce son âme en paradis!—cette femme n'en finissait pas d'avoir des enfants, et quand Mac Kenna vit venir le cinquième ou le sixième de ces braillards sur la liste d'appel, il jura que désormais il les numéroterait. Mais la vieille Pummeloe le pria de les baptiser d'après les noms des garnisons où ils naissaient. De sorte qu'il y eut Colaba Mac Kenna, Muttra Mac Kenna et d'autres Mac Kenna à peupler toute une présidence, et ça finit par la petite Jhansi, qui danse là-bas.

«Quand il ne naissait pas d'enfant, il en mourait, et si nos enfants meurent aujourd'hui comme des moutons, en ce temps-là ils tombaient aussi dru que les mouches,—moi j'ai perdu mon unique petite Shadd,—mais ce n'est pas de cela que je veux parler. Il y a longtemps de ça, et mistress Mulvaney n'a pas eu d'autre enfant.

«Mais je m'écarte de mon sujet.

«Par un été chaud en diable, il arriva un ordre d'un idiot quelconque dont j'ai oublié le nom, qui envoyait le régiment dans le Haut Pays.

«Peut-être voulait-on s'assurer que le nouveau chemin de fer était capable de transporter de la troupe.

«On le savait! Sur mon âme! on le savait avant que la chose fût faite.

«La vieille Pummeloe venait justement d'enterrer Muttra Mac Kenna et, comme la saison était malsaine, il ne lui restait plus sur les bras que la petite Jhansi Mac Kenna, qui avait quatre ans.

«Perdre cinq enfants en quatorze mois! C'était dur, hein?

«Ainsi donc nous nous rendîmes à notre nouvelle garnison par cette chaleur terrible. Que la malédiction de saint Laurent consume l'individu qui donna cet ordre!

«Jamais je ne l'oublierai, ce mouvement.

«On nous donna deux petits trains pour tout le régiment, et nous étions huit cent soixante-dix hommes.

«Les compagnies A, B, C et D étaient dans le second train, avec douze femmes,—pas des dames d'officiers,—et treize enfants.

«Nous avions à faire six cents milles, et, en ce temps-là, les chemins de fer étaient une nouveauté.

«Quand nous eûmes passé une nuit dans le ventre du train, les hommes étouffaient dans leurs chemises, buvaient tout ce qui se trouvait à leur portée, mangeaient de mauvais fruits quand ils en trouvaient, car nous ne pouvions pas les en empêcher,—j'étais alors caporal,—et le choléra éclata dès que l'aube parut.

«Que les saints vous fassent la grâce de ne jamais voir le choléra dans un train de troupes! C'est comme si le jugement de Dieu tombait du ciel tout nu!

«Nous arrivons à un camp de repos, comme qui dirait Ludianny, mais qui était loin d'être aussi confortable.

«L'officier commandant envoie un télégramme à l'autre bout de la ligne, à trois cents milles de là, pour demander du secours. Et, ma foi, nous en avions besoin, car tous les gens de notre suite avaient décampé jusqu'au dernier, pour sauver leur peau, dès l'arrêt du train; au moment où la dépêche fut écrite, il n'y avait plus à la station un seul nègre, si ce n'est l'employé du télégraphe; encore n'était-il resté là que parce qu'il était attaché à sa chaise par la peau de son cou de moricaud.

«La journée débuta par du tapage dans les wagons, par le bruit que faisaient les hommes en s'affalant sur le quai, avec armes et bagages, comme ils se tenaient prêts à répondre à l'appel par compagnies, avant de se rendre au camp.

«Ce n'est point mon affaire de décrire le choléra.

«Peut-être le médecin-major aurait-il pu le faire, s'il n'était pas tombé sur le quai par la portière d'un wagon d'où nous enlevions les morts.

«Il mourut avec les autres.

«Quelques camarades étaient morts pendant la nuit. Nous en enlevâmes sept, et il y en avait vingt de malades à ce moment-là.

«On installa comme on put les femmes, que la peur faisait crier.

«Alors l'officier qui commandait, et dont j'ai oublié le nom, dit:

«—Qu'on emmène les femmes sur cette hauteur où il y a des arbres. Elles ne doivent pas rester au camp. Ce n'est pas leur place.

«La vieille Pummeloe était assise sur son rouleau de matelas, et tâchait de faire tenir tranquille la petite Jhansi:

«—Allez là-haut, dit l'officier. Ne restez pas avec les hommes.

«—Le diable m'emporte si j'y vais! dit la vieille Pummeloe.

«La petite Jhansi, qui était bien serrée contre sa mère, piaille de son côté:

«—Le diable m'emporte si j'y vais! moi aussi.

«La vieille Pummeloe se tourne du côté des femmes et leur dit:

«—Est-ce que vous allez laisser mourir les gars, pendant que vous faites un pique-nique, fainéantes? qu'elle dit. C'est de l'eau qu'il leur faut. Allons, un coup de main.

«Aussitôt, elle retrousse ses manches, et s'en va vers un puits qui se trouvait derrière le camp de repos, la petite Jhansi trottinant derrière elle, tenant en laisse un *lotah*[28], et les autres femmes suivant comme des agneaux, avec des seaux de cheval et des récipients de cuisine.

[28] Récipient de forme sphérique.

«Quand tout fut plein, la vieille Pummeloe revint au camp,—qui ressemblait à un champ de bataille, moins la gloire,—à la tête de ce régiment de femmes.

«—Mac Kenna, mon homme, dit-elle d'une voix telle qu'on aurait dit l'appel à la grand'garde, dis donc aux gars de se tenir tranquilles, que la vieille Pummeloe est là pour s'occuper d'eux, et qu'elle apporte à boire pour rien.

«Alors on l'acclama, et les cris qui partaient de tous les points de la ligne couvraient presque le bruit que faisaient les pauvres diables déjà malades.

«Comme vous voyez, notre régiment comptait en ce temps-là beaucoup de nouveaux arrivés, de recrues pas formées. Aussi ne savions-nous par quel bout prendre la maladie, et nous n'étions bons à rien.

«Les hommes allaient et venaient, tournant comme des moutons muets, attendant que l'un d'eux tombât, et se disant alors à demi-voix:

«—Qu'est-ce que c'est? Au nom de Dieu, qu'est-ce que c'est?

«C'était horrible.

«Mais elles allaient et venaient toujours, la vieille Pummeloe et la petite Jhansi,—du moins ce que nous pouvions voir de l'enfant qui disparaissait sous le casque d'un mort, dont la jugulaire pendait sur son petit ventre,—elles allaient et venaient avec de l'eau et le peu de brandy qu'on avait.

«De temps en temps, la vieille Pummeloe, les larmes coulant sur sa grosse figure rouge, disait:

«—Mes pauvres gars, mes pauvres morts, mes chéris, mes gars chéris!

«Mais elle employait surtout son temps à donner du cœur aux hommes, à les remonter, et la petite Jhansi disait à tous que dans la matinée ça irait mieux.

«C'était une phrase qu'elle avait entendu dire par la vieille Pummeloe alors que Muttra était dévorée par la fièvre.

«Dans la matinée! Ce fut la matinée éternelle à la porte de saint Pierre pour vingt-sept beaux gaillards, et il y en avait encore vingt autres de malades, à l'agonie, sous ce soleil ardent et cruel.

«Mais, comme je l'ai dit, les femmes travaillèrent comme des anges, les hommes comme des diables, jusqu'à ce qu'on nous eût envoyé deux médecins de là-haut; alors nous fûmes sauvés.

«Mais, bien peu de temps auparavant, comme la vieille Pummeloe était à genoux près d'un gars de mon escouade, mon voisin de droite à la chambrée, et qu'elle lui disait ces paroles de l'Église qui n'ont jamais manqué leur effet sur un homme, elle s'écria tout d'un coup:

«—Soutenez-moi, les amis, je me sens très mal!

«C'était l'effet du soleil, et non du choléra.

«Elle avait oublié qu'elle n'avait sur la tête que son vieux bonnet noir, et elle mourut, entre les bras de «Mac Kenna, mon homme»; les camarades sanglotèrent en l'enterrant.

«Cette nuit-là, il souffla un grand vent, si fort, si impétueux, qu'il aplatit les tentes. Mais, en même temps, ce souffle balaya le fléau, et plus un seul cas ne se déclara pendant tout le temps qu'on passa à attendre: dix jours en quarantaine.

«Et vous pouvez m'en croire, la trace laissée par le choléra dans le camp ressemblait à celle qu'un homme aurait faite en décrivant quatre fois le chiffre 8 à travers les tentes.

«On dit que c'est le Juif errant qui apporte le choléra avec lui.

«Je le crois.»

—Et voilà comment, dit Mulvaney, qui ne se piquait pas de logique, voilà comment la petite Jhansi est ce qu'elle est.

«Elle a été élevée par la femme du sergent fourrier quand Mac Kenna mourut, mais elle appartient à la compagnie B, et cette histoire que je vous raconte, avec une juste appréciation de Jhansi Mac Kenna, je l'ai fait entrer dans la tête de chaque homme qui arrive au régiment.

«Par ma foi, c'est bien moi qui ai décidé le caporal Slane à demander Jhansi en mariage.

—Vraiment?

—Oui, j'ai fait ça! Ce n'est pas une beauté, mais elle est la fille de la vieille Pummeloe, et c'est mon devoir de veiller à son avenir.

«Juste au moment où Slane allait passer caporal je lui dis:

«—Slane, demain ça serait de l'insubordination de ma part si je te corrigeais, mais je le jure sur l'âme de la vieille Pummeloe, qui est en paradis, si tu ne me donnes pas ta parole de demander immédiatement la main de Jhansi, je te pèlerai jusqu'aux os, cette nuit, avec un crochet de laiton. C'est un déshonneur pour la compagnie B, que Jhansi soit restée fille si longtemps!

«Est-ce que j'admets qu'un homme n'ayant que trois ans de service se permette de discuter avec moi, quand mon parti est pris? Non. Aussi Slane est allé la demander, et c'est un brave garçon, Slane.

«Un de ces jours, il entrera dans l'intendance, et il roulera en *buggy*[29], sur... sur ses économies.

[29] Cabriolet découvert.

«C'est ainsi que j'ai assuré l'avenir de la fille de la vieille Pummeloe; et maintenant retournez faire un tour de danse avec elle.»

C'est ce que je fis.

J'éprouvais du respect pour miss Jhansi Mac Kenna; et j'assistai, par la suite, à son mariage.

DANS L'ORGUEIL DE SA JEUNESSE

—Arrêté dans la ligne droite quand la course était à lui! Regardez comme il la coupe, barbet jusqu'à la moelle!

—Demandez, avant que le petit bonhomme ait été réprimandé et blâmé, quel poids il portait et quelle était sa surcharge? Peut-être l'a-t-on trop vivement poussé au départ! Peut-être les couvertures de surcharge de la Destinée lui ont-elles brisé le cœur!

(LE HANDICAP DE LA VIE.)

Quand je vous ai conté le tour que le Ver joua au lieutenant le plus ancien, je vous ai promis un conte à peu près semblable, mais d'où la plaisanterie serait absente[30].

[30] Voir, dans les *Simples Contes des Collines*, la nouvelle intitulée: *Sa Femme légitime.*

Le voici.

Dicky Hatt fut enlevé dans sa première, toute première jeunesse,—non point par la fille de sa propriétaire, non point par une bonne, par une serveuse de bar, non point par une cuisinière, mais par une jeune fille d'un rang si voisin du sien, que seule une femme eût pu dire qu'elle était d'un rien son inférieure.

Ceci se passa un mois avant son départ pour l'Inde, et cinq jours après son vingt et unième anniversaire.

La jeune personne avait dix-neuf ans, mais elle était en avance de six ans sur Dicky quant à l'expérience, et, à cette époque-là, deux fois plus étourdie que lui.

A l'exception, naturellement, des chutes de cheval, il n'y a pas d'accident qui soit plus fréquent et plus fatal qu'un mariage devant l'officier de l'état civil.

La cérémonie ne coûte même pas cinquante shillings, et elle ressemble étonnamment à une visite au mont-de-piété. Une fois la déclaration de résidence faite, il ne faut que quatre minutes pour le reste des démarches: paiement des droits, attestations, etc. Puis l'officier de l'état civil passe le buvard sur les noms, et, tenant d'un air farouche sa plume entre ses dents, prononce:

—Maintenant vous êtes mari et femme.

Et le couple regagne la rue, avec la sensation qu'il y a, dans tout cela, quelque chose d'horriblement illégal.

Mais la formalité est définitive. Elle peut mener l'homme à sa perte, aussi sûrement que cette malédiction lancée des grilles de l'autel: «Aussi longtemps que vous vivrez l'un et l'autre», pendant que les demoiselles d'honneur rient au second rang, et que l'on chante *La voix venue de l'Éden* à faire crouler le plafond.

C'est ainsi que fut pincé Dicky Hatt, et il en fut parfaitement enchanté, car il avait obtenu un emploi dans l'Inde, avec un traitement magnifique, selon les idées du pays natal.

Le mariage devait rester secret pendant un an.

Alors mistress Dicky Hatt s'embarquerait, et le reste de leur existence se passerait dans un nuage de gloire et d'or.

Tels étaient les projets qu'ils esquissaient sous les becs de gaz de la gare d'Addison Road.

Après un mois trop bref, ce fut Gravesend et le départ de Dicky pour sa nouvelle existence, tandis que la petite pleurait dans une chambre à coucher-salon à trente shillings par semaine, dans une des rues qui s'étendent derrière Montpelier Square, près de la caserne de Knightsbridge.

Mais le pays où l'on envoyait Dicky Hatt était un rude pays, où les «hommes» de vingt et un ans étaient tenus pour de tout petits garçons, et où la vie était chère.

Le salaire, qui paraissait si gros à six mille milles de distance, n'alla pas bien loin, surtout quand Dicky en eut fait deux parts, dont il envoya la plus grosse à Montpelier Square.

Cent trente-cinq roupies sur trois cent trente, ce n'est pas grand'chose pour vivre, mais il était absurde de supposer que mistress Hatt pût subsister éternellement avec les vingt livres que Dicky Hatt avait prélevées sur son allocation d'équipement.

Dicky le voyait bien. Il envoya le subside, sans jamais oublier les sept cents roupies qu'il faudrait payer, douze mois plus tard, pour la traversée d'une dame, en première classe.

Ajoutez à ces menus détails les instincts naturels d'un tout jeune homme qui commence une vie nouvelle, dans un pays nouveau pour lui, qui désire aller et venir, se donner du plaisir, la nécessité de s'attaquer résolument à un travail nouveau qui, à vrai dire, est capable d'absorber à lui seul l'attention d'un tout jeune homme, et vous verrez que Dicky était handicapé dès le départ.

Il s'en aperçut lui-même pendant une ou deux reprises d'haleine, mais il ne pressentit pas toute la beauté de son avenir.

A mesure que s'avançait la saison chaude, les entraves s'appesantissaient sur lui, et entamaient les chairs.

D'abord, il arriva des lettres, de grandes lettres pliées, de sept pages, où sa femme lui disait combien il lui tardait de le voir, et comment leur intérieur deviendrait le paradis terrestre dès qu'ils seraient réunis.

Puis, des camarades qui logeaient dans la même maison que Dicky, venaient taper bruyamment à la porte de sa chambrette nue, pour l'inviter à venir voir un poney qui ferait parfaitement son affaire.

Dicky n'était pas en mesure de se payer des poneys. Il lui fallut l'expliquer.

Dicky n'avait pas les moyens de vivre plus longtemps dans cette maison, si modeste qu'elle fût.

Il lui fallut s'en expliquer avant de s'installer dans une pièce unique, aux environs du bureau où il travaillait tout le jour.

Son installation se composait d'une toile cirée verte pour couvrir la table, d'une chaise, d'un *charpoy*[31], d'une photographie, d'un gros verre très épais pour se laver les dents, d'un filtre coûtant sept roupies huit annas; il prenait pension à trente-sept roupies par mois.

[31] Lit-divan.

Cela, c'était un prix exorbitant.

Il n'avait pas de *punkah*[32], car un *punkah* coûte quinze roupies par mois, mais il dormait sur le toit du bureau, avec les lettres de sa femme sous son oreiller.

[32] Ventilateur oscillant.

De temps à autre, il recevait une invitation à dîner où il bénéficiait du *punkah* et, par surcroît, d'une boisson à la glace. Mais c'était rare, car les gens hésitaient à accueillir un jeune homme qui laissait voir des instincts d'Écossais marchand de chandelles et qui menait une vie aussi sordide.

Dicky ne pouvait apporter sa quote-part à aucun amusement. Aussi n'en connaissait-il d'autre que celui de feuilleter son traité de banque, et de lire ce qu'il y trouvait au sujet des «emprunts sur garanties».

Cela ne lui coûtait rien.

Il envoyait ses subsides, disons-le en passant, par l'intermédiaire d'une banque de Bombay, et la station ne savait rien de ses affaires personnelles.

Chaque mois, il adressait à sa femme tout ce qu'il lui était possible d'économiser, et cela pour une raison qui devait s'expliquer d'elle-même dans peu de temps, et qui exigerait encore davantage d'argent.

Vers ce moment-là, Dicky fut en proie à la crainte nerveuse, incessante, qui assiège les gens mariés quand ils ont l'esprit inquiet.

Il n'avait aucune perspective d'obtenir une pension. Qu'arriverait-il s'il venait à mourir subitement, sans avoir rien pu faire pour sa femme?

Cette pensée finit par le hanter régulièrement pendant les nuits silencieuses et brûlantes qu'il passait sur le toit, et les mouvements désordonnés de son cœur lui faisaient craindre de mourir subitement d'une crise cardiaque.

Or, c'est là un état d'esprit qu'un tout jeune homme n'a nul droit de connaître. Ce sont des ennuis qui incombent aux hommes faits. Mais, venant tout de même, ils affolaient le pauvre Dicky Hatt, qui transpirait faute d'un *punkah*.

Et il ne pouvait en parler à personne.

Dicky avait terriblement besoin d'argent, et, pour en avoir, il travaillait comme un cheval.

Mais les gens dont il dépendait savaient qu'un jeune homme peut vivre très confortablement avec un revenu donné. Les salaires sont, dans l'Inde, affaire d'âge et non de mérite, comme vous savez, et si ce garçon-là voulait bien faire l'ouvrage de deux jeunes employés, la Science des affaires défendait qu'on l'en empêchât.

Mais la Science des affaires défendait aussi de lui donner une augmentation, à un âge aussi ridiculement précoce.

Néanmoins, Dicky eut une certaine augmentation de salaire, considérable, vu son âge, mais bien insuffisante pour entretenir une femme et un enfant, trop faible certainement pour qu'il pût réunir les sept cents roupies qu'exigeait le voyage, ce voyage dont lui et mistress Hatt avaient parlé à la légère autrefois.

Et il dut se tenir pour satisfait de son sort.

Quoi qu'il en soit, on eût dit que tout son argent se volatilisait en mandats pour l'Angleterre et en frais écrasants de change. En même temps, le ton des lettres qu'il recevait du pays changeait, tournait à la plainte.

«Pourquoi Dicky ne voulait-il pas faire venir sa femme et son bébé? Certainement, il avait de beaux appointements, et c'était bien mal d'en jouir tout seul dans l'Inde. Mais ne voudrait-il, ne pourrait-il pas grossir le prochain envoi?»

Suivait une énumération du trousseau de l'enfant, aussi longue qu'une facture de Parsi.

Alors le cœur de Dicky, tout plein du désir d'avoir sa femme et le petit enfant qu'il n'avait jamais vu,—c'est encore là un désir qui devrait être interdit à un tout jeune homme,—lui commandait d'envoyer un peu plus d'argent.

Il écrivait des lettres bizarres, à moitié viriles, à moitié enfantines, où il disait que la vie n'avait, après tout, pas beaucoup de charmes, et où il demandait si sa petite femme ne prendrait pas patience quelque temps encore.

Mais la petite femme, tout en faisant bon accueil à l'argent, s'impatientait d'attendre, et il y avait dans ses lettres je ne sais quelle note dure et étrange que Dicky n'arrivait pas à comprendre.

Et comment l'eût-il compris, le pauvre petit?

Plus tard encore,—tout comme on l'avait conté à Dicky à propos d'un autre blanc-bec qui «s'était couvert de ridicule» comme on dit,—et dont le mariage n'aurait pas seulement pour effet de détruire toutes ses chances d'avancement, mais encore celui de lui faire perdre son emploi actuel,—il reçut la nouvelle que son enfant, son cher enfant, son petit enfant, était mort. Et, à la suite, quarante lignes de pattes de mouches, telles qu'en trace une main de femme affolée, l'informaient que cette mort aurait pu être évitée si certaines choses, toutes assez coûteuses, avaient été faites, et si la mère et le bébé avaient été avec Dicky.

Cette lettre frappa Dicky en plein cœur, car n'ayant pas officiellement le droit d'être père, il lui était interdit de laisser voir son chagrin.

Comment Dicky put-il continuer à vivre pendant les quatre mois qui suivirent? quel espoir entretint-il en lui-même pour se contraindre à son labeur? c'est ce que nul ne saurait dire.

Il bûchait sans trêve. La traversée à sept cents roupies était aussi lointaine que jamais, et sa façon de vivre toujours la même, sauf quand il faisait les frais d'un filtre neuf.

Il avait à supporter la fatigue de son travail de bureau, son effort incessant pour envoyer ses subsides, et la nouvelle de la mort de son enfant, qui le touchait plus, peut-être, qu'elle n'eût ému un homme fait; en outre, il était préoccupé par les soucis journaliers de son existence.

Des anciens à tête grise l'approuvaient d'économiser, le louaient de se refuser tout agrément, et lui rappelaient le vieux dicton ainsi conçu:

Si un jeune homme veut se distinguer dans son métier,

Il doit interdire aux jeunes filles l'entrée de son cœur.

Dicky, s'imaginant qu'il avait passé par tous les ennuis qui peuvent arriver à un homme, était obligé de rire, d'être de cet avis, pendant que la dernière ligne de son carnet de banque, avec un zéro pour balance, tintait à son oreille jour et nuit.

Mais il eut un dernier chagrin à digérer avant la fin.

Il arriva une lettre de sa petite femme,—c'était la suite naturelle des autres, si Dicky s'en était seulement douté,—et cette lettre finissait par ce refrain: «Partie avec un homme plus beau que vous.»

C'était une page assez curieuse, sans ponctuation, conçue à peu près en ces termes: «Elle n'était nullement en humeur d'attendre éternellement. Le bébé était mort et Dicky n'était qu'un enfant. Il ne la reverrait jamais plus. Et pourquoi n'avait-il pas agité son mouchoir de son côté quand il avait quitté Gravesend? Elle prenait Dieu pour juge. Elle était une méchante femme, mais Dicky était encore pire, car il se donnait du plaisir dans l'Inde. Cet autre homme était prêt à baiser la terre qu'elle foulait. Dicky lui pardonnerait-il jamais? En tout cas, elle ne pardonnerait jamais à Dicky. Elle ne lui envoyait aucune adresse où il pût écrire.»

Au lieu de remercier son étoile de ce qu'il était libre, Dicky découvrit exactement quels sont les sentiments d'un mari trompé, encore une chose qu'un jeune homme n'a aucun droit de connaître.

Son esprit se reporta vers sa femme.

Il la revit installée dans l'appartement à trente shillings de Montpelier Square, alors que se levait l'aube du dernier jour qu'il avait passé en Angleterre, et qu'elle pleurait au lit.

A ce souvenir, il se roula sur sa couche et se mordit les doigts.

Il ne s'arrêta pas une minute à l'idée que s'il avait rencontré mistress Hatt après ces deux années, il aurait trouvé qu'elle et lui avaient complètement changé, et qu'ils étaient deux êtres tout à fait différents.

Théoriquement, c'est ce qu'il eût dû faire.

Il passa une nuit plutôt pénible après l'arrivée du courrier d'Angleterre.

Le lendemain, Dicky Hatt se sentit peu de disposition pour le travail. Il se dit qu'il s'était privé, sans le savoir, du plaisir de la jeunesse.

Il était à bout de forces.

Il avait goûté à tout ce qu'il y a de douloureux dans la vie, avant d'avoir vingt-trois ans.

Son Honneur n'était plus,—pensée d'homme mûr—; et maintenant il irait au diable, lui aussi: c'était, à présent, l'enfant qui se manifestait.

Aussi posa-t-il sa tête sur la toile cirée verte de sa table, et pleura-t-il avant de donner sa démission et de renoncer à tous les avantages de son emploi.

C'est alors qu'arriva la récompense de ses services. On lui donna trois jours pour réfléchir; son directeur, après avoir joué du télégraphe, lui dit que c'était là une mesure tout à fait exceptionnelle, mais que, tenant compte des aptitudes que M. Hatt avait montrées à telle et telle époque, en telle et telle circonstance, il était en mesure de lui offrir un emploi infiniment plus élevé, d'abord à titre d'essai, puis, en temps voulu, à titre définitif.

—Et combien rapporte cet emploi? demanda Dicky.

—Six cent cinquante roupies, dit le directeur, d'une voix lente, s'attendant à voir le jeune homme succomber sous la reconnaissance et la joie.

Enfin, cela y était!

Les sept cents roupies, tout l'argent qu'il aurait fallu pour sauver la femme et le bébé, pour se permettre de faire connaître, d'avouer son mariage, tout cela venait à cette heure!

Dicky partit d'un bruyant éclat de rire, impossible à réprimer, d'un rire mauvais, métallique, interminable.

Quand il fut remis, il dit, d'un ton très sérieux:

—Je suis las de travailler; je suis vieux à présent. Il est temps que je prenne ma retraite, et je la prendrai.

—Ce garçon-là est fou, dit le chef.

Je crois qu'il avait raison, mais Dicky Hatt n'est jamais revenu pour trancher la question.

LE COCHON

Va, guette le daim rouge sur la lande, monte à cheval, poursuis le renard, si tu peux. Mais pour avoir à la fois plaisir et profit, qu'on me donne la chasse à l'homme,—la chasse à l'être humain, la poursuite de son âme jusqu'à sa perte,—la chasse à l'homme.

(LE VIEUX SHIKARRI.)

La querelle commença, je crois, à propos d'un cheval rétif.

Pinecoffin l'avait vendu à Nafferton, que cet animal faillit tuer.

Il se peut que la brouille ait eu d'autres causes, mais le cheval fut celle qu'on invoqua officiellement.

Nafferton fut très en colère. Mais Pinecoffin en rit et déclara qu'il n'avait nullement garanti le caractère du cheval.

Nafferton se mit à rire à son tour, tout en jurant qu'il ferait payer sa chute à Pinecoffin, dût-il attendre cinq ans pour cela.

Or, un habitant de la vallée de l'Aire, en amont de Skipton[33] n'oublie jamais une injure, mais un homme du sud du Devon est aussi mou qu'un marais de Dartmoor.

[33] Dans le comté d'York.

Vous devinez, rien qu'aux noms, que Nafferton avait, de par sa naissance, un avantage sur Pinecoffin.

C'était un original, et ses notions de l'humour étaient cruelles.

Il m'apprit une façon nouvelle et attrayante de *shikar*[34].

[34] Sport.

Il pourchassa Pinecoffin de Mithan Kot jusqu'à Jagadri, et de Gurgaon jusqu'à Abbottabad dans tout le Punjab, province vaste et d'une sécheresse remarquable en certains endroits.

Il disait qu'il n'entendait point permettre aux commissaires adjoints de le rouler en lui vendant des chevaux de la campagne, mal dressés, qui ne cessent de sauter et de hennir, et que, s'ils le faisaient, ils s'en repentiraient toute leur vie.

Nombre de commissaires adjoints s'adonnent à quelque besogne particulière, après avoir passé leur premier été dans le pays.

Les jeunes, qui ont bon estomac, espèrent inscrire leur nom en grandes lettres sur la frontière, et se disputent des postes perdus comme Bannu et Kohat.

Les bilieux visent au secrétariat: cela ne vaut rien pour le foie.

D'autres sont mordus par la manie d'administrer un district, de collectionner des monnaies ghaznévides ou de la poésie persane.

D'autres, de race paysanne, sentent l'odeur de la terre, après les pluies, leur entrer dans le sang et les inviter «à développer les ressources de la province». Ces gens-là sont des enthousiastes.

Pinecoffin était du nombre.

Il connaissait une foule de détails sur les prix du gros bétail, les puits temporaires, les racleurs d'opium.

Il savait ce qui se produit quand vous brûlez trop de détritus sur une terre usée, dans l'espoir de lui rendre sa fertilité.

Tous les Pinecoffin ont une ascendance paysanne, de sorte qu'après tout la terre ne faisait que reprendre les siens.

Malheureusement, très malheureusement pour Pinecoffin, il était dans le service civil, tout en ayant des goûts de fermier.

Nafferton le guettait et n'oubliait pas le cheval.

Nafferton disait:

—Je pourchasserai ce garçon jusqu'à ce qu'il tombe.

Je lui dis:

—Vous n'allez pas planter votre couteau dans un commissaire adjoint!

Nafferton me répliqua que je n'entendais rien à l'administration de la province.

Notre gouvernement est vraiment bizarre.

Il fournit à jet continu des renseignements sur l'agriculture et sur toutes sortes de sujets; il procurera à un homme d'une respectabilité relative une foule de statistiques économiques, si celui-ci en parle avec un air quelque peu compétent.

Vous intéressez-vous aux lavages d'or dans les sables du Sutlej? Vous n'avez qu'à tirer un cordon; vous réveillerez ainsi une demi-douzaine de bureaux; finalement la sonnerie retentira, par exemple, chez un ami que vous avez dans les télégraphes, et qui a jadis rédigé quelques notes sur les coutumes des laveurs d'or, alors qu'il était employé aux travaux publics dans la partie de l'Empire où il s'en trouve.

Il sera peut-être enchanté, à moins qu'il ne soit très ennuyé, en recevant l'ordre de coucher par écrit tout ce qu'il sait, pour votre profit. Cela dépend de son tempérament.

Plus vous avez d'importance, plus vous pouvez obtenir d'informations et causer d'ennuis.

Nafferton n'était pas un grand personnage, mais il avait la réputation d'être extrêmement «sérieux».

Un homme sérieux peut tirer grand parti du gouvernement.

Il y avait une fois un homme sérieux qui faillit ruiner... mais l'Inde entière connaît cette histoire.

Je ne sais pas au juste ce que c'est que le «sérieux».

On peut en faire une contrefaçon très réussie, en négligeant sa tenue, en allant et venant d'un air distrait, en emportant chez soi du travail de son bureau, où l'on est resté jusqu'à sept heures, en recevant le dimanche une foule de gentlemen indigènes.

C'est là une des manières d'être sérieux.

Nafferton chercha un endroit où planter un clou pour y suspendre son sérieux, et un cordon qui le mît en communication avec Pinecoffin.

Il trouva tout ce qu'il lui fallait sous les espèces du Cochon.

Nafferton entreprit une enquête sérieuse sur le cochon.

Il informa le gouvernement qu'il avait un plan, selon lequel une partie très importante de l'armée anglaise de l'Inde pourrait être nourrie de cochon d'une façon extrêmement économique.

Puis, il laissa entendre que Pinecoffin serait en mesure de lui fournir «des informations variées qui lui étaient nécessaires pour mettre son projet sur pied».

En conséquence, l'administration écrivit au dos de la lettre:

«Donner à M. Pinecoffin les instructions nécessaires pour qu'il fournisse à M. Nafferton tous les renseignements en son pouvoir.»

Le gouvernement montre une grande propension à écrire au verso des lettres des choses qui, plus tard, causent des ennuis et du désordre.

Nafferton n'avait pas le moindre motif de s'intéresser au cochon, mais il savait que Pinecoffin donnerait tête baissée dans le piège.

Pinecoffin fut enchanté qu'on le consultât au sujet du cochon.

Le cochon ne joue pas, à vrai dire, un rôle fort important dans l'économie agricole de l'Inde, mais Nafferton expliqua à Pinecoffin qu'il y avait là un progrès à réaliser, et il entra en correspondance directe avec ce jeune homme.

Vous pensez peut-être qu'on ne saurait aller bien loin en prenant le cochon comme point de départ.

Cela dépend uniquement de la façon dont vous vous mettez à la besogne.

Pinecoffin, appartenant au service civil et voulant traiter son sujet à fond, commença par écrire un essai sur le cochon primitif, la mythologie du cochon, et le cochon dravidien.

Nafferton classa ces renseignements (vingt-sept feuilles de papier ministre), et voulut savoir quelle était la répartition du cochon dans le Punjab, et comment il supportait la saison des chaleurs dans la Plaine.

Désormais, veuillez vous rappeler que je me borne à marquer les traits saillants de l'affaire: les maîtresses cordes, pour ainsi dire, du tissu que Nafferton ourdit autour de Pinecoffin.

Pinecoffin fit une carte coloriée de la population porcine et recueillit des observations comparées sur la longévité du cochon: *a*, dans les régions sous-montagneuses de l'Himalaya; *b*, dans le Rechna-Doab.

Nafferton classa ces renseignements et demanda quelle espèce de gens s'occupaient du cochon.

Cela eut pour conséquence une dissertation ethnologique sur les porchers, et fit produire à Pinecoffin de longues tables indiquant combien il y avait de porchers par mille habitants dans le Derajat.

Nafferton classa ce nouveau dossier et expliqua que les chiffres dont il avait besoin se rapportaient aux domaines d'en deçà du Sutlej, où il avait appris que les cochons étaient très beaux, très grands, et où il se proposait d'établir une porcherie modèle.

A ce moment-là, le gouvernement avait totalement oublié les instructions qu'il avait données à Pinecoffin.

Le gouvernement agissait comme ces gentlemen qui, dans le poème de Keats, font tourner des roues bien graissées pour écorcher d'autres hommes. Mais Pinecoffin en était encore à ses débuts dans cette chasse au cochon, où Nafferton savait bien qu'il se lancerait.

Il avait sur les bras assez d'ouvrage professionnel, mais il passait des nuits à réduire le cochon en statistiques à cinq décimales, pour l'honneur de son administration. Il n'entendait pas passer pour un ignorant sur un sujet aussi aisé à traiter.

A ce moment, le gouvernement l'envoya en mission spéciale à Kohat, pour faire une enquête sur les grandes bêches de sept pieds, à tranchant de fer, employées dans ce district.

Des gens s'étaient entre-tués avec cet outil pacifique, et le gouvernement désirait savoir «si une modification dans la forme de l'outil agricole ne pouvait être tentée, à titre d'essai temporaire, et introduite parmi la population rurale, tout en évitant de choquer inopportunément ou d'irriter mal à propos les sentiments religieux des paysans». Avec ces bêches et le cochon de Nafferton, Pinecoffin avait à porter un fardeau assez lourd.

Nafferton se mit dès lors à chercher: *a*, la quantité de nourriture qu'exigeait le cochon indigène, cela en vue de s'assurer si on ne pourrait pas améliorer son aptitude à l'engraissement; *b*, la possibilité d'acclimater le cochon exotique, tout en lui conservant ses caractères distinctifs.

Pinecoffin répondit à grand renfort d'arguments que le cochon exotique serait absorbé dans l'espèce indigène et, pour le prouver, il cita des statistiques sur l'élevage du cheval.

Cette question annexe fut débattue très longuement par Pinecoffin, si bien que Nafferton finit par convenir qu'il était dans l'erreur et revint à la première question.

Lorsque Pinecoffin eut presque épuisé sa science à étudier les animaux producteurs de viande, la fibrine, le glucose, et les éléments azotés qui entrent dans le maïs et la luzerne, Nafferton souleva la question des frais.

A ce moment-là, Pinecoffin, qui avait été rappelé de Kohat, avait élaboré une théorie personnelle sur le cochon, et l'avait développée en trente-sept pages in-folio, que Nafferton classa soigneusement. Puis il demanda de nouveaux détails.

Tout cela avait pris dix mois.

Le zèle de Pinecoffin pour le cochon théorique commençait à faiblir, une fois ses propres vues exposées. Mais Nafferton le bombarda de lettres où il lui présentait le problème «sous son aspect impérial, en ce sens qu'il en résulterait une sorte de contrôle officiel du commerce du porc, ce qui aurait pour effet de choquer la population musulmane de l'Inde Supérieure».

Il devina que Pinecoffin aurait besoin de quelque vaste sujet à traiter librement, après sa besogne de menus détails, de petits points, de fractions décimales.

Pinecoffin traita cet aspect de la question de façon magistrale; il prouva qu'on «n'avait à redouter aucune ébullition populaire due à l'agitation des esprits».

Nafferton déclara que rien n'était comparable à la perspicacité des fonctionnaires du service civil en ces matières, et il l'attira dans un sentier détourné: «Les bénéfices que le gouvernement retirerait de la vente des soies de cochon.»

Il y a toute une littérature sur les soies de cochon et les brosses à souliers; et les spécialités des marchands de couleurs admettent une variété de soies dont vous n'avez nulle idée.

Quand Pinecoffin se fut un peu étonné de la rage d'information qui s'était emparée de Nafferton, il lui envoya une monographie de cinquante et une pages sur «des produits tirés du cochon».

Cela le conduisit, sous la délicate impulsion de Nafferton, droit aux usines de Cawnpore, à l'industrie des peaux de cochon pour sellerie et, de là, à la tannerie.

Pinecoffin écrivit que la graine de grenadier était la meilleure substance qu'il y eût pour traiter la peau de cochon, et donna à entendre,—car les quatorze mois précédents l'avaient fatigué,—que Nafferton ferait bien d'élever ses cochons avant de songer à tanner leur peau.

Nafferton revint à la deuxième section de sa cinquième question.

Était-il possible, et comment était-il possible d'élever le porc exotique pour qu'il fournît autant de viande qu'en Occident, «tout en gardant l'aspect hirsute qui caractérise son congénère d'Orient»?

Pinecoffin fut abasourdi, car il avait oublié ce qu'il avait écrit seize mois auparavant, et il se figura qu'il s'agissait de remettre toute la question sur le tapis.

Il était trop bien pris dans ce piège affreux pour pouvoir battre en retraite.

Dans un moment de faiblesse, il écrivit:

«Reportez-vous à ma première lettre» (laquelle traitait du cochon dravidien).

En fait, Pinecoffin avait encore à traiter la question de l'acclimatation, car il s'était lancé dans une digression sur la fusion des types.

Ce fut alors que Nafferton démasqua réellement ses batteries!

Il se plaignit au gouvernement, en un langage digne, de la manière chiche et mesquine dont on avait secondé ses efforts pour créer une «industrie hautement rémunératrice, et de la légèreté avec laquelle ses demandes de renseignements étaient accueillies par un monsieur dont la pseudo-érudition devrait aller au moins jusqu'à connaître les différences de premier ordre qui existent entre le cochon dravidien et la variété dite race Berkshire du genre *sus*. Si je dois admettre que la lettre à laquelle il me renvoie contient sa vraie manière de voir sur l'acclimatation d'un animal précieux, quoique malpropre peut-être, je me vois, malgré toute ma répugnance, obligé de croire», etc., etc.

Il y avait un nouveau chef au bureau des observations.

Le malheureux Pinecoffin fut informé que les fonctionnaires étaient faits pour le pays et non le pays pour les fonctionnaires, et qu'il ferait mieux de commencer à fournir des renseignements sur le cochon.

Pinecoffin répondit maladroitement qu'il avait écrit tout ce qu'on pouvait écrire sur le cochon, et qu'il avait droit à un congé.

Nafferton se procura une copie de cette lettre, et l'envoya, avec l'essai sur le cochon dravidien, à un journal du Bas-Pays qui imprima le tout.

L'essai était d'un ton presque grandiose, mais si le rédacteur en chef avait vu les monceaux de papiers couverts de l'écriture de Pinecoffin, qui étaient entassés sur la table de Nafferton, il ne se serait pas montré aussi railleur sur la «nébuleuse prolixité et la suffisance bavarde de la moderne bête à concours, et son absolue incapacité à saisir les conséquences pratiques d'une question pratique».

Bon nombre d'amis coupèrent ces remarques et les envoyèrent à Pinecoffin.

J'ai déjà dit que Pinecoffin appartenait à une race molle.

Ce dernier coup l'effraya, le bouleversa.

Il n'y pouvait rien comprendre, mais il sentait qu'il avait été, de quelque façon, honteusement berné par Nafferton.

Il se rendit compte qu'il s'était enveloppé sans nécessité d'une peau de cochon, et qu'il lui était impossible de regagner les bonnes grâces du gouvernement.

Tous les gens qu'il connaissait lui demandaient des nouvelles de sa «nébuleuse prolixité», de sa «suffisance bavarde», et cela le rendait extrêmement malheureux.

Il prit le train et alla trouver Nafferton qu'il n'avait pas vu depuis le début de l'affaire du cochon.

Il s'était muni de la coupure du journal.

Il bafouilla péniblement, dit des gros mots, et ne tarda pas à exhaler son dernier ressentiment dans une faible et aqueuse protestation:

—Vraiment, mon cher, ce n'est pas gentil. Nafferton lui témoigna beaucoup de sympathie.

—Je crains de vous avoir donné beaucoup de mal, n'est-ce pas?

—Ce n'est pas de cela que je me plains, gémit Pinecoffin, quoique je me sois donné vraiment beaucoup de mal. Mais ce qui me fâche, c'est d'avoir été ridiculisé dans un journal. Cela me restera comme une tare tant que je serai dans l'administration. Et dire que j'ai fait de mon mieux dans cette interminable histoire de cochon! Ç'a été bien mal de votre part, sur mon âme, bien mal.

—Je ne sais pas, dit Nafferton. Avez-vous jamais été roulé en achetant un cheval? Ce n'est pas l'argent que je regrette, quoiqu'il m'en ait coûté beaucoup, mais ce qui me peine, ce sont les taquineries qui en résultent, surtout quand elles viennent du blanc-bec qui vous a roulé. Mais je crois que nous voilà quittes, maintenant.

Pinecoffin ne trouva rien à répondre, si ce n'est d'autres gros mots.

Nafferton garda son sourire le plus suave et invita Pinecoffin à dîner.

LA DÉROUTE DES HUSSARDS BLANCS

Ce ne fut point sur le champ de bataille que nous jetâmes l'épée, mais pendant la garde solitaire, dans les ténèbres, près du gué: les eaux léchaient la rive; le vent de la nuit soufflait. La terreur naquit tout armée et grandit, et nous étions en fuite avant même de rien savoir de la panique nocturne.

(BEONI BAR.)

Certaines gens soutiennent qu'un régiment anglais est incapable de courir.

C'est là une erreur.

J'ai vu quatre cent trente-sept sabres fuir à travers champs sous l'empire d'une terreur abjecte. J'ai vu le meilleur régiment qui ait jamais manié les brides, rayé de l'«Annuaire de l'Armée» pendant deux bonnes heures.

Si vous répétez ce récit aux Hussards blancs, il y a tout à parier qu'ils vous battront froid.

C'est un incident dont ils ne sont pas fiers.

Vous pouvez reconnaître les Hussards blancs à leur chic, supérieur à celui de tous les autres régiments de cavalerie qui figurent sur les contrôles.

Si cette indication ne vous suffit pas, vous les reconnaîtrez à leur vieux cognac. Il est au mess depuis soixante ans et vaut la peine qu'on se dérange pour le goûter.

Demandez le vieux cognac de Mac Gaire, et tâchez d'en avoir du vrai.

Si le sergent du mess juge que vous êtes un profane, et que l'article authentique ne sera pas dignement apprécié, il vous traitera en conséquence. C'est un brave homme.

Mais quand vous serez au mess, gardez-vous de parler à vos hôtes de marches forcées ou de chevauchées à grande distance. On est très susceptible au mess. Si l'on croit que vous vous moquez des Hussards, on vous le dira.

S'il faut en croire les Hussards blancs, c'est la faute au colonel seul. Il venait d'arriver, et il n'aurait jamais dû prendre le commandement. Il prétendait que le régiment manquait d'allant et de chic.

Dire cela aux Hussards blancs, qui se jugeaient capables de cerner n'importe quelle cavalerie, d'enfoncer n'importe quelle artillerie, de balayer n'importe quelle infanterie du monde!

Cet affront fut la cause première de tout le mal.

Puis, le colonel réforma le cheval-tambour... le cheval-tambour des Hussards blancs!

Peut-être vous demanderez-vous si c'était là un crime inexprimable? Je vais essayer de vous expliquer clairement la chose.

L'âme du régiment vit dans le cheval-tambour, qui porte les timbales d'argent.

C'est presque toujours un grand cheval pie, importé de la Nouvelle-Galles du Sud. C'est là un point d'honneur, et un régiment dépensera tout l'argent qu'on voudra pour avoir un cheval pie.

Ce cheval n'est soumis à aucun des règlements sur la réforme. Son travail est des plus faciles. Il ne manœuvre qu'au pas. Donc, aussi longtemps qu'il peut se tenir et garder sa belle prestance, son bien-être est assuré.

Il en sait plus long que l'adjudant[35] sur le régiment, et lors même qu'il le ferait exprès, il n'arriverait pas à se tromper.

[35] Officier adjoint au chef de corps.

Le cheval-tambour des Hussards blancs n'avait que dix-huit ans. Il suffisait parfaitement à sa tâche. Il était en état de travailler au moins six ans encore, et il avait dans son port autant de pompe, de dignité qu'un tambour-major de la Garde royale.

Le régiment l'avait payé dix-huit cents roupies.

Mais le colonel dit qu'il fallait s'en défaire. On le réforma selon toutes les règles. On le remplaça par une bête d'un bai sale, aussi laide qu'une mule, avec un cou de mouton, une queue pelée comme celle d'un rat, et des jarrets de vache.

Le tambour détestait cet animal, et les meilleurs chevaux de la fanfare dressaient les oreilles et montraient le blanc des yeux rien qu'en le voyant; ils le regardaient comme un parvenu et non comme un gentleman.

J'imagine que les idées du colonel sur le chic s'étendaient à la fanfare et qu'il entendait l'obliger à prendre part aux revues ordinaires.

Une fanfare de régiment est chose sacrée. Elle ne sort que pour les revues passées par les officiers qui commandent en chef, et le chef de musique est d'un degré au-dessus du colonel, au point de vue de l'importance.

C'est un grand-prêtre, et son hymne solennel est le *Keel Row*. Le Keel Row est le trot de la cavalerie, et quiconque n'a point entendu cette sonnerie éclater en notes aiguës par-dessus le bruit du régiment qui passe devant la base de salut, a encore quelque chose à apprendre et à comprendre.

Lorsque le colonel réforma le cheval-tambour des Hussards blancs, il y eut presque une révolte.

Les officiers étaient de mauvaise humeur, les hommes furieux, et les musiciens juraient... comme de simples troupiers.

Le cheval-tambour devait être vendu aux enchères... oui, aux enchères publiques, et peut-être serait-il acheté par un Parsi, qui l'attellerait à une charrette!

C'était pire que d'étaler toute la vie intérieure du régiment devant le monde entier, pire que de vendre l'argenterie du mess à un Juif... à un Juif noir.

Le colonel était un homme mesquin et brutal. Il savait ce que le régiment pensait de son acte et, quand les troupiers offrirent d'acheter le cheval-tambour, il répondit que leur offre était contraire à la discipline et aux règlements.

Mais un jeune lieutenant, Hogan-Yale, un Irlandais, acheta le cheval-tambour pour cent soixante roupies à la vente, et le colonel entra dans une grande colère.

Yale affecta le repentir. Il montra une soumission qui n'avait rien de naturel; il n'avait fait cet achat, disait-il, que pour éviter au cheval d'être maltraité et de crever de faim; il le tuerait d'un coup de fusil, et tout serait fini.

Cela parut contenter le colonel, car il ne voulait plus entendre parler du cheval-tambour. Il sentait qu'il avait fait une gaffe et, naturellement, il lui était impossible d'en convenir.

En attendant, la présence du cheval-tambour était pour lui une cause d'irritation.

Yale s'offrit un verre du vieux cognac, trois cigares, et emmena son ami Martyn. Ils quittèrent le mess ensemble.

Yale et Martyn restèrent en tête à tête pendant deux heures dans la chambre de Yale, mais le bull terrier qui garde les embauchoirs de Yale fut seul à savoir ce qu'ils se dirent.

Un cheval coiffé et enveloppé jusqu'aux oreilles sortit de l'écurie de Yale et fut conduit, malgré sa mauvaise volonté, jusqu'au quartier des employés civils.

Le groom de Yale l'accompagnait.

Deux hommes firent irruption dans le théâtre du régiment, et s'emparèrent de plusieurs pots de peintures et de quelques gros pinceaux à brosser les décors.

Puis la nuit tomba sur la caserne, et on entendit le bruit que faisait un cheval en démolissant son box à coups de pieds dans l'écurie de Yale.

Yale avait un grand vieux cheval gallois blanc.

Le lendemain était un jeudi.

Les hommes apprenant que Yale devait tuer le cheval-tambour dans la soirée, résolurent de faire à l'animal des funérailles dignes du régiment, des funérailles plus belles que celles qu'on eût faites au colonel s'il était mort ce jour-là.

Ils se procurèrent un char à bœufs, une quantité de sacs, des tas et des tas de roses, et le corps, bien couvert de sacs, fut transporté à l'endroit où l'on incinérait les victimes du charbon.

Les deux tiers du régiment formèrent le cortège. La fanfare n'y était pas, mais tous chantaient: *L'endroit où mourut le vieux cheval*, air qu'ils jugeaient respectueux et de circonstance.

Quand le corps eut été descendu dans la fosse, alors que les hommes commençaient à y jeter des brassées de roses, le sergent maréchal ferrant lâcha un juron et dit tout haut:

—Mais ça n'est pas plus le cheval-tambour que moi!

Les sergents-majors de troupe lui demandèrent s'il n'avait pas laissé sa raison à la cantine.

Le sergent maréchal ferrant répondit qu'il connaissait les pieds du cheval-tambour aussi bien que les siens, mais il se tut quand il vit le numéro du régiment marqué au fer rouge sur le sabot raidi et retourné de la pauvre bête.

C'est ainsi qu'on ensevelit le cheval-tambour des Hussards blancs, cependant que le sergent maréchal ferrant grognait toujours.

La bâche qui couvrait le corps était barbouillée de peinture noire en maints endroits, et le sergent maréchal attira l'attention sur ce détail, mais le sergent-major du cinquième escadron lui lança un bon coup de pied dans les jambes et lui dit qu'il était évidemment ivre.

Le lundi qui suivit l'enterrement, le colonel chercha à prendre sa revanche sur les Hussards blancs.

Par malheur, comme il était temporairement commandant d'armes, il ordonna une manœuvre de brigade. Il dit qu'il ferait «trimer le régiment pour son insolence», et il mit sa menace à exécution.

Ce lundi-là fut une des journées les plus pénibles dont les Hussards blancs aient gardé le souvenir.

Ils furent lancés contre un ennemi fictif, portés en avant, ramenés en arrière, mis à pied, et «maniés scientifiquement» de toutes les façons possibles, dans un pays plein de poussière, où ils suèrent abondamment.

Le seul moment de distraction qu'ils eurent, ce fut le soir, lorsqu'ils tombèrent sur la batterie d'artillerie montée qu'ils chassèrent pendant deux milles.

Cela, c'était une affaire personnelle.

Beaucoup d'hommes avaient engagé des paris sur le résultat, les artilleurs prétendant qu'ils avaient d'aussi bonnes jambes que les Hussards blancs.

Ils avaient tort.

Une marche forcée termina la manœuvre, et, quand le régiment regagna ses lignes, tous les hommes étaient couverts de boue depuis les éperons jusqu'aux jugulaires.

Les Hussards blancs possèdent un grand privilège qui leur est propre, et qu'ils ont gagné à Fontenoy, je crois.

Bon nombre de régiments ont des droits spéciaux, par exemple celui de porter un col en petite tenue, ou un nœud de rubans entre les épaules, ou des roses rouges ou blanches au casque, à certains jours de l'année.

Certains de ces droits se rapportent aux saints qui sont les patrons des régiments, ou bien à des exploits régimentaires.

Tous ces privilèges sont hautement appréciés, mais il n'en est aucun qui soit plus envié que celui qu'ont les Hussards blancs de mener boire leurs chevaux dans le camp, au son de la fanfare.

On ne joue qu'un morceau, qui est toujours le même. Je n'en connais pas le véritable nom, mais les Hussards blancs le désignent par ces mots: *Qu'on me ramène à Londres.*

L'air est très joli.

Le régiment aimerait mieux être rayé des contrôles que de renoncer à cette distinction.

Après la sonnerie de la «dislocation», les officiers retournèrent chez eux pour préparer le pansage, et les hommes rentrèrent au camp, au pas, à volonté. Cela signifie qu'ils déboutonnèrent leurs vestes serrées, qu'ils mirent leur casque en arrière, et échangèrent des plaisanteries ou des jurons, selon l'humeur de chacun, pendant que les plus soigneux mettaient pied à terre et desserraient les sangles et les brides.

Un bon cavalier fait autant de cas de sa monture que de lui-même et croit, ou devrait croire, que les deux réunis sont d'un effet irrésistible, qu'on ait devant soi des femmes ou des hommes, des jeunes filles ou des canons.

Alors l'officier d'ordonnance commanda:

—A l'abreuvoir!

Le régiment se dirigea en flânant vers les abreuvoirs d'escadron, qui étaient derrière les écuries, entre celles-ci et la caserne.

Il y avait là quatre abreuvoirs immenses, un par escadron, disposés en échelon, de sorte que tout le régiment pouvait, si l'on voulait, faire boire ses chevaux en dix minutes. Mais cela prenait généralement dix-sept minutes, pendant que la fanfare jouait.

La fanfare se mit à jouer au moment où les escadrons défilaient vers les abreuvoirs, et où les hommes sortaient leurs pieds des étriers et plaisantaient entre eux.

A ce moment même, le soleil se couchait dans un grand lit brûlant de nuages rouges, et l'on eût dit que la route qui menait aux services civils allait entrer tout droit dans l'œil du soleil.

Il y avait sur cette route un petit point noir. Il grossit, grossit, et finit par prendre la forme d'un cheval, avec une sorte de gril sur le dos.

Le nuage rouge flamboyait à travers les barreaux du gril.

Quelques troupiers, abritant leurs yeux de leurs mains, dirent:

—Que diable cet animal a-t-il sur le dos?...

La minute d'après, ils entendirent un hennissement que tous les êtres vivants du régiment,—chevaux et hommes,—reconnurent, et l'on vit, piquant tout droit vers la fanfare, le cheval-tambour des Hussards blancs, que l'on croyait mort.

Sur les deux côtés de son garrot ballottaient à grand bruit les timbales, voilées de crêpe, et sur son dos se tenait très raide, en véritable cavalier, un squelette dont le crâne était nu.

La fanfare s'arrêta. Un instant le silence se fit.

Alors un cavalier du cinquième escadron,—les hommes disent que c'était le sergent-major,—fit pivoter son cheval et poussa un cri.

Personne ne saurait expliquer ce qui se passa ensuite, mais il paraît qu'un homme au moins par escadron donna l'exemple de la panique, et que les autres suivirent comme des moutons.

Les chevaux, qui avaient à peine mis leurs naseaux dans l'abreuvoir, se dressèrent, gambadèrent, mais aussitôt que la fanfare se tut, c'est-à-dire quand le fantôme du cheval-tambour fut à quelque deux cents mètres de distance, les fers s'abattirent, et le bruit confus d'une panique,—bruit bien différent du battement régulier et sourd que produit une manœuvre sur le terrain, ou de celui qui résulte du désordre des chevaux autour des abreuvoirs,—ne fit que mettre le comble à la terreur.

Ils sentirent que leurs cavaliers avaient peur de quelque chose.

Lorsque des chevaux sentent cela, tout est fini, sauf le massacre.

Les escadrons, les uns après les autres, s'éloignèrent des abreuvoirs, et coururent de tous côtés, dans toutes les directions, comme du mercure qu'on verse sur le sol.

C'était un spectacle des plus extraordinaires, car hommes et bêtes étaient dans toutes les phases possibles du laisser-aller, et les fourreaux des carabines, battant les flancs des chevaux, achevaient de les exciter.

Les hommes tempêtaient, pestaient, cherchaient à s'écarter de la fanfare, qui était poursuivie par le cheval-tambour, dont le cavalier était tombé en avant et semblait jouer des éperons pour gagner un pari.

Le colonel était allé se rafraîchir au mess.

La plupart des officiers l'avaient suivi, et le lieutenant de jour se préparait à regagner le camp et à recevoir des sergents-majors les rapports sur la conduite à l'abreuvoir.

Quand l'air de: *Qu'on me ramène à Londres* s'arrêta à la vingtième mesure, tous les officiers qui se trouvaient au mess dirent:

—Que diable est-il donc arrivé?

Une minute après, ils entendirent des bruits qui n'avaient rien de militaire, et ils virent les Hussards blancs, qui fuyaient en désordre à travers la plaine.

Le colonel était muet de rage, car il se figurait que tout le régiment s'était soulevé contre lui ou s'était enivré comme un seul homme.

La fanfare, cohue désordonnée, passa, ayant sur ses talons le cheval-tambour,—le cheval-tambour qui était mort et enterré,—portant sur son dos le squelette qu'il secouait à grand bruit.

Hogan-Yale chuchota à Martyn:

—De ce train-là, tous les fils de fer vont casser.

Et la fanfare, qui avait fait un crochet brusque, telle un lièvre, reparut. Mais le reste du régiment était parti et parcourait au hasard tout le pays, car l'obscurité était venue, et chaque homme hurlait à son voisin qu'il avait le cheval-tambour sur les talons.

En général, les chevaux de troupe sont traités avec trop de ménagement. Quand l'occasion l'exige, ils peuvent rendre beaucoup, même avec une charge de cent vingt livres sur le dos, et les hommes s'en aperçurent.

Combien de temps dura cette panique? Je ne saurais le dire.

Quand la lune se leva, les hommes virent qu'ils n'avaient rien à craindre, et rentrèrent deux par deux, trois par trois, par demi-pelotons, en se cachant, et fort honteux d'eux-mêmes.

Alors le cheval-tambour, vexé de se voir ainsi accueilli par ses anciens amis, s'arrêta, fit demi-tour et s'en alla au trot devant l'escalier de la véranda pour demander du pain.

Personne n'osa s'enfuir, mais personne n'osa s'avancer jusqu'au moment où le colonel fit quelques pas et prit le pied du squelette.

La fanfare s'était arrêtée à quelque distance. Alors elle se rapprocha lentement.

Le colonel lança aux musiciens, collectivement et individuellement, toutes les injures qui lui vinrent à l'esprit sur le moment, car il avait mis la main sur la poitrine du cheval-tambour et avait reconnu qu'il était en chair et en os.

Puis, il frappa du poing sur les timbales et découvrit qu'elles étaient en papier d'argent et en bambou.

Ensuite, et à grand renfort de jurons, il essaya d'arracher le squelette de la selle, mais il s'aperçut qu'il était fixé avec du fil de fer sur le troussequin.

C'était un spectacle peu banal qu'offrait le colonel, les bras autour du bassin du squelette et un genou dans le creux de l'estomac du cheval-tambour.

Je dirais presque que la scène était amusante.

Le colonel secoua l'objet une ou deux minutes et finit par le jeter à terre, en disant à la fanfare:

—Venez par ici, capons! Voilà ce qui vous fait peur!

Le squelette n'était pas très joli sous le crépuscule.

On eût dit que le sergent-musicien le reconnaissait, car il se mit à rire en dessous, à étouffer.

—Faut-il l'emporter, mon colonel? demanda le sergent-musicien.

—Oui, emportez-le au diable, et allez-y tous!

Le sergent-musicien salua, ramassa le squelette, le mit en travers de sa selle et partit vers les écuries.

Alors le colonel commença à demander où était le reste du régiment, se servant pour cela d'un langage singulier.

Il disloquerait le régiment... il ferait passer tout le monde en conseil de guerre... il ne commanderait jamais une cohue pareille, etc., etc.

A mesure que les hommes reparaissaient, son langage devenait plus furieux, si bien qu'il finit par dépasser les limites extrêmes de la liberté qu'on accorde à un colonel de cavalerie.

Martyn prit Hogan-Yale à part et lui suggéra que, dans le cas où tout viendrait à se découvrir, il serait forcé de démissionner.

Martyn était le plus faible des deux.

Hogan-Yale fronça les sourcils, et fit observer, tout d'abord, qu'il était le fils d'un lord, et, en second lieu, qu'il était aussi innocent que l'enfant qui vient de naître.

—D'après mes instructions, dit Yale avec un sourire d'une douceur singulière, le cheval-tambour devait nous être renvoyé de la manière la plus solennelle possible. Je vous le demande, est-ce ma faute à moi, si un ami à tête de mulet le réexpédie d'une façon propre à troubler la tranquillité d'esprit d'un régiment de cavalerie de Sa Majesté?

Martyn répondit:

—Vous êtes un grand homme, et vous passerez général un jour, mais je sacrifierais volontiers les chances que je puis avoir de commander un escadron pour être sorti de cette affaire.

La Providence sauva Martyn et Hogan-Yale.

L'officier commandant en second emmena le colonel à part dans le petit réduit fermé de rideaux où les lieutenants des Hussards blancs avaient coutume de se réunir pour jouer le soir au poker, et là, quand le colonel eut juré à son aise, ils s'entretinrent à voix basse.

Je me figure que le commandant en second dut représenter l'alerte comme une machination dont il serait impossible de découvrir l'auteur, et je sais qu'il insista sur ce qu'il y aurait de fâcheux, de honteux à faire de cette échauffourée un sujet de risée pour le public.

—On nous surnommera les «Fuyards nocturnes», dit le commandant en second, qui avait vraiment une belle imagination; on nous appellera les «Chasseurs de fantômes», et, d'un bout à l'autre de l'Annuaire militaire, on nous affublera de sobriquets. Toutes les explications du monde ne suffiront pas à prouver aux profanes que les officiers étaient absents au début de la panique. Pour l'honneur du régiment, et dans votre propre intérêt, laissez la chose tomber d'elle-même.

Le colonel était si épuisé par la colère qu'il se laissa apaiser plus facilement qu'on ne s'y serait attendu. On l'amena tout doucement, par degrés, à reconnaître qu'il était d'une égale impossibilité de faire passer tout le régiment en conseil de guerre, et de sévir contre les jeunes officiers qui avaient pu tremper dans la farce.

—Mais la bête est vivante, s'écria le colonel. On ne l'a pas abattue du tout! C'est une désobéissance absolument flagrante. J'ai connu un homme qui a été cassé pour moins que ça, mille fois moins! On se fiche de moi, je vous le dis, Mutman, on se fiche de moi!

Le commandant en second entreprit de nouveau de calmer le colonel, et il en eut pour une demi-heure. Au bout de ce temps, le sergent-major du régiment vint au rapport.

La situation était assez nouvelle pour lui, mais il n'était pas homme à se laisser démonter par les circonstances.

Il salua et dit:

—Le régiment est rentré, mon colonel.

Puis, afin de se rendre le colonel favorable, il ajouta:

—Tous les chevaux sont en bon état.

Le colonel, en renâclant, répondit:

—Alors vous n'avez qu'à faire coucher les hommes dans leurs berceaux, prenez bien garde à ce que, pendant la nuit, ils ne se réveillent ni ne pleurent.

Le sergent se retira.

Ce bon mot rendit au colonel sa bonne humeur; plus tard il se sentit honteux du langage qu'il avait tenu.

Le commandant en second revint à la charge. Puis, tous deux s'engagèrent dans une conversation qui se prolongea fort avant dans la nuit.

Le surlendemain, il y eut une manœuvre dirigée par le commandant en second. Le colonel harangua vigoureusement les Hussards blancs.

Il dit, en substance, que le cheval-tambour s'étant montré, malgré son grand âge, capable de mettre en fuite tout le régiment, il reprendrait son poste d'honneur à la tête de la fanfare, mais que le régiment n'était qu'une bande de brigands dépourvus de conscience.

Les Hussards blancs applaudirent par de grands cris, en lançant en l'air tout ce qu'ils avaient sous la main, et, quand la manœuvre fut finie, ils crièrent: «Vive le colonel» jusqu'à extinction de voix.

Quant au lieutenant Hogan-Yale, qui souriait d'un air bénin, au dernier rang, il n'eut aucune part des applaudissements.

Le commandant en second dit au colonel, d'un ton qui n'était pas officiel:

—Ces petites choses-là assurent la popularité, et ne portent pas la moindre atteinte à la discipline.

—Mais j'ai rétracté mon ordre! répliqua le colonel.

—Peu importe! dit le commandant en second. Les Hussards blancs vous suivront partout désormais. Les régiments sont tout comme les femmes. Ils font n'importe quoi pour des babioles.

Une semaine après, Hogan reçut une lettre extraordinaire de quelqu'un qui signait: «Secrétaire, société Charité et Zèle, 3709, E-C», dans laquelle on le priait «de restituer notre squelette, qui, comme nous avons des raisons de le croire, est en votre possession».

—Quel est donc ce maniaque qui fait le commerce des os? demanda Hogan.

—Je vous demande pardon, dit le sergent-musicien, mais le squelette est chez moi, et je le renverrai si vous voulez bien payer le port jusqu'au quartier des employés civils. Il y a aussi un cercueil, mon lieutenant.

Hogan Yale sourit, mit deux roupies dans la main du sergent-musicien, et dit:

—Écrivez la date sur le crâne, voulez-vous?

Si vous doutez de ce récit et si vous connaissez la garnison, vous pourrez voir cette date sur le squelette. Mais surtout, pas d'allusion à ce sujet en présence des Hussards blancs.

Si je connais cette histoire, c'est que c'est moi qui ai préparé le cheval-tambour pour sa résurrection. Et il n'a pu s'accommoder du squelette.

LE CAS DE DIVORCE BRONCKHORST

Pendant le jour, lorsqu'elle allait et venait autour de moi; pendant la nuit, lorsqu'elle dormait à mes côtés, j'étais las, j'étais las de sa présence. Chaque jour, chaque nuit ajoutait à mon antipathie: plût à Dieu qu'elle fût morte ou que ce fût moi!

(CONFESSIONS.)

Il y avait dans l'armée un certain Bronckhorst, homme anguleux, d'âge moyen, gris comme un blaireau, et qui, disaient certaines gens, avait un peu de sang indigène dans les veines.

Néanmoins cela ne saurait se prouver.

Mistress Bronckhorst n'était pas ce qu'on appelle une jeune femme, bien qu'elle eût quinze ans de moins que son mari.

C'était une grande personne, pâle, tranquille, avec de grosses paupières tombant sur des yeux faibles et une chevelure qui avait des reflets rouges ou jaunes suivant l'incidence des rayons lumineux.

Bronckhorst, quoi qu'il fît, manquait de grâce. Il n'avait aucun égard pour les jolis petits mensonges, publics ou secrets, qui rendent la vie un peu moins déplaisante qu'elle n'est en réalité.

Ses façons à l'égard de sa femme étaient grossières.

Il y a bien des choses, y compris les brutalités et les coups de poing, qu'une femme peut endurer, mais il est rare qu'une femme puisse supporter,—comme le supportait mistress Bronckhorst,—des années et des années de moqueries brutales, sans aucun ménagement pour ses faiblesses, ses migraines, ses légers éclats de gaieté, ses toilettes, ses bizarres petites tentatives pour se rendre attrayante aux yeux de son mari, alors qu'elle sait bien qu'elle n'est plus comme autrefois... et, chose pire que toutes, sans aucun égard pour l'amour qu'elle reporte sur ses enfants.

Cette sorte de plaisanterie lourde était celle que Bronckhorst préférait entre toutes.

Je suppose qu'il en était venu là peu à peu, sans intention méchante, pendant la lune de miel, alors que les époux se sentent à court d'expressions de tendresse, et qu'ils recourent à l'autre extrême pour manifester leurs sentiments.

C'est un instinct du même genre qui vous fait dire: «Va-t'en d'ici, vieille bête!» quand un cheval favori vient frotter ses naseaux contre votre plastron de chemise.

Malheureusement, quand arrive la réaction conjugale, cette façon de parler persiste et, la tendresse s'en étant évaporée, la femme s'en offense plus qu'elle ne le laisse voir.

Mais mistress Bronckhorst était dévouée à son «Teddy», comme elle l'appelait.

Peut-être faut-il voir, dans l'emploi de ce diminutif familier, la raison qui la lui rendait antipathique.

Peut-être,—et c'est le seul moyen d'expliquer la conduite infâme qu'il tint dans la suite,—peut-être céda-t-il au singulier, au sauvage sentiment qui parfois prend un homme à la gorge après vingt ans de mariage, quand il voit assise en face de lui, à table, cette éternelle figure de sa femme légitime, et qu'il sait qu'après l'avoir vue ainsi face à face il lui faudra toujours, toujours, la voir jusqu'à ce que lui ou elle disparaisse.

Tous les époux, toutes les épouses connaissent cette crise. En général, elle ne dure que le temps de respirer trois fois, et elle doit être une survivance d'un âge où les hommes et les femmes valaient bien moins que de nos jours.

C'est un sujet trop déplaisant pour qu'on le discute.

Un dîner chez Bronckhorst était une corvée que peu de gens se résignaient à subir.

Bronckhorst se plaisait à tenir des propos qui mettaient sa femme sur les épines.

Quand leur petit garçon venait, au dessert, Bronckhorst ne manquait pas de lui faire boire un grand demi-verre de vin, et, comme il fallait s'y attendre, le pauvre petit commençait par faire du tapage, puis il se sentait très mal à l'aise et enfin on l'emportait hurlant.

Bronckhorst demandait alors si Teddy se conduisait ainsi habituellement, et si mistress Bronckhorst ne pourrait pas consacrer un peu de ses loisirs à apprendre à ce petit vaurien à se bien tenir.

Mistress Bronckhorst, qui aimait l'enfant plus qu'elle-même, faisait tout ce qu'elle pouvait pour ne pas pleurer; mais son énergie semblait avoir été brisée par le mariage.

En dernier lieu, Bronckhorst en était venu à dire:

—Bon, bon, ça va bien! Cela suffit! Au nom du ciel, tâchez donc de vous conduire comme une femme raisonnable. Allez au salon.

Mistress Bronckhorst s'en allait, tâchant de tout couvrir d'un sourire, et l'invité de cette soirée-là en éprouvait de la mauvaise humeur et de la gêne.

Après trois ans de cette joyeuse vie,—car mistress Bronckhorst n'avait pas d'amies avec qui elle pût causer,—la station sursauta en apprenant que Bronckhorst avait intenté un procès *pour relations criminelles* à un homme nommé Biel qui avait, à vrai dire, témoigné des attentions à mistress Bronckhorst toutes les fois qu'elle s'était montrée en public.

Le manque absolu de réserve dont Bronckhorst faisait preuve dans cette affaire où il s'agissait de son déshonneur, nous fit pressentir que les dépositions contre Biel ne porteraient sur des circonstances accessoires et seraient basées sur des témoignages d'indigènes.

Il n'y avait point de lettres, mais Bronckhorst déclarait à qui voulait l'entendre qu'il remuerait ciel et terre pour voir Biel surveiller la fabrication des tapis dans la prison centrale.

Mistress Bronckhorst ne sortait pas de chez elle et laissait les âmes charitables dire ce qui leur plaisait.

Les avis étaient partagés.

Les deux tiers environ des habitants de la station conclurent sans hésiter que Biel était coupable. Mais il y avait une douzaine de gens qui, le connaissant et l'aimant, le soutenaient.

Biel était furieux et étonné. Il nia tout et fit le serment de corriger Bronckhorst jusqu'à ce qu'il fût presque mort.

Aucun jury, nous le savions, ne condamnerait un homme sur des accusations criminelles portées par des indigènes, dans un pays où l'on peut acheter des témoins pour étayer une accusation d'assassinat,—et acquérir un cadavre par-dessus le marché,—pour cinquante-quatre roupies.

Mais Biel ne voulait pas se tirer d'affaire avec le bénéfice du doute. Il voulait que la lumière se fît entièrement.

Comme il le dit un soir:

—Il peut prouver tout ce qu'il voudra par des témoignages de domestiques; moi, je n'ai que ma parole.

C'était environ un mois avant la date de l'affaire et nous ne pouvions pas faire grand'chose, si ce n'est de nous ranger du côté de Biel.

La seule chose dont nous étions certains, c'était que les dépositions des indigènes seraient assez méchantes pour ternir la réputation de Biel jusqu'à la fin de sa carrière; car un indigène, quand il commet un faux témoignage, ne s'arrête pas à mi-chemin; il ne bronche sur aucun détail.

Un homme heureusement inspiré, qui se trouvait au bout de la table où l'on causait de la chose, dit:

—Tenez, je ne crois pas que les hommes de loi soient bons à grand'chose. Télégraphiez donc à Strickland[36] pour le prier de descendre ici et de nous tirer d'affaire.

[36] Voir la nouvelle intitulée: *Le Saïs de Miss Youghal*, dans les *Simples Contes des Collines.*

Strickland était à environ cent quatre-vingts milles plus haut, sur la ligne.

Il avait épousé depuis peu miss Youghal, mais il flaira dans la dépêche une chance de reprendre contact avec son ancien emploi de détective, dans lequel il se délectait.

Il arriva dès le lendemain soir et se fit raconter notre histoire.

Il finit sa pipe et dit d'un ton d'oracle:

—Il faut nous attaquer aux dépositions. Oorya, porteur; Musalman, valet qui sert à table; et la Methrani, *ayah*: telles sont, ce me semble, les colonnes de l'accusation. Je me sens très à l'aise dans cette affaire, mais je crains que mon jargon ne soit un peu rouillé.

Il se leva et se rendit dans la chambre à coucher de Biel, où l'on avait mis sa malle, et referma la porte.

Une heure plus tard, nous l'entendîmes dire:

—Je n'ai pas eu le courage de me défaire de mes vieux costumes quand je me suis marié. Celui là fera t il l'affaire?

Il y avait dans le corridor un fakir dégoûtant qui faisait des salutations.

—Maintenant prêtez-moi cinquante roupies, dit Strickland, et donnez-moi tous votre parole d'honneur que vous ne direz rien à ma femme.

On lui donna tout ce qu'il demandait, et il sortit pendant qu'on buvait à sa santé.

Ce qu'il fit? Il est le seul à le savoir.

Un fakir ne cessa d'aller et venir autour de la résidence de Bronckhorst pendant douze jours. Puis, ce fut un *mehter*[37], et quand Biel entendit parler de lui, il dit que Strickland était un ange bien emplumé.

[37] Balayeur.

Le *mehter* fit-il la cour à Janki, la femme de chambre de mistress Bronckhorst? C'est une question qui regarde uniquement Strickland.

Il revint au bout de trois semaines et dit tranquillement:

—Biel, vous avez dit la vérité. Par Jupiter! c'est un coup monté d'un bout à l'autre; j'en suis étonné *moi-même*. Cette brute de Bronckhorst n'est pas digne de vivre.

Il y eut un tapage de cris, et Biel dit:

—Comment comptez-vous le prouver? Vous ne pouvez pas dire que vous êtes entré sous un déguisement dans la résidence de Bronckhorst.

—Non, dit Strickland, dites à votre imbécile de défenseur, quel qu'il soit, de soulever quelque forte objection à propos d'invraisemblances intrinsèques, de contradictions dans les témoignages. Il n'aura pas un mot à dire, mais cela lui fera plaisir. C'est moi qui ferai marcher toute l'affaire.

Biel tint sa langue, et les autres hommes attendirent pour voir ce qui arriverait.

Ils avaient en Strickland la confiance que l'on a dans les hommes calmes.

Lorsque l'affaire fut appelée, la cour de justice était bondée. Strickland flâna dans la véranda jusqu'à ce qu'il rencontrât le *khitmagar*[38] musulman.

[38] Domestique qui sert à table.

Alors, il murmura à l'oreille de celui-ci une bénédiction de fakir et lui demanda de quelle façon était morte sa seconde femme.

L'homme se retourna brusquement, et se voyant face à face avec *Estreeken Sahib*, sa figure s'allongea.

Vous devez vous rappeler qu'avant son mariage, Strickland était, comme je vous l'ai conté, un personnage considérable parmi les indigènes.

Strickland lança à demi-voix un juron populaire en langue courante, pour bien faire voir qu'il était au courant de tout ce qui se passait, et il se rendit au tribunal armé d'un fouet d'entraîneur en nerf de bœuf.

Le mahométan était le premier témoin, et Strickland, placé derrière la cour, le dominait du regard.

L'homme humecta ses lèvres avec sa langue, et, dans la terreur abjecte que lui inspirait *Estreeken Sahib* le fakir, il rétracta un à un tous les détails de sa déposition, disant qu'il était un pauvre diable et prenant Dieu à témoin qu'il avait oublié tout ce que Bronckhorst Sahib lui avait recommandé de dire.

Et il s'affaissa en larmoyant sous la triple influence de la peur que lui inspiraient Strickland, le juge et Bronckhorst.

Alors la panique se mit parmi les témoins.

Janki, l'*ayah*, minaudant chastement derrière son voile, devint livide, et le porteur disparut de la cour. Il dit que sa maman était mourante, et qu'il ne faisait pas bon de prodiguer des mensonges en présence d'*Estreeken Sahib*.

Biel dit poliment à Bronckhorst:

—Il semble que vos témoins ne rendent pas. N'auriez-vous point à produire quelques lettres contrefaites?

Mais Bronckhorst se balançait de gauche à droite sur sa chaise, et il y eut un silence pesant après que Biel eut été rappelé à l'ordre.

Le conseil de Bronckhorst comprit ce que signifiait la mine de son client, et, sans faire plus d'embarras, il jeta ses papiers sur la petite table couverte de serge verte, en marmottant quelques mots pour laisser entendre qu'il avait été renseigné inexactement.

Toute la salle applaudit furieusement, comme font les soldats au théâtre, et le juge se mit à dire ce qu'il pensait.

Biel sortit de la salle, et Strickland laissa tomber dans la véranda une cravache d'entraîneur.

Dix minutes plus tard, Biel donnait une correction soignée à Bronckhorst, derrière les prisons de la cour, sans bruit ni scandale.

Ce qui restait de Bronckhorst fut rapporté chez lui en voiture.

Sa femme pleura sur lui, et le soigna de façon à lui rendre figure humaine.

Plus tard, quand Biel eut abandonné son action reconventionnelle contre Bronckhorst pour subornation de témoins, mistress Bronckhorst dit, avec son sourire languissant et mouillé, qu'il y avait eu erreur, mais que la faute n'en était pas tout entière à son Teddy.

Elle attendrait que son Teddy lui revînt. Peut-être était-il las d'elle, ou avait-elle poussé à bout sa patience? Nous consentirions sans doute à ne plus la tenir en quarantaine, et les mères laisseraient leurs enfants jouer encore avec le «petit Teddy». Il était si isolé.

Alors mistress Bronckhorst fut invitée par tout le monde, à la station, jusqu'au jour où Bronckhorst fut en état de reparaître en public.

Ce jour venu, il retourna en Angleterre et emmena sa femme.

D'après les dernières nouvelles, son Teddy «lui était revenu» et ils étaient relativement heureux, bien que, naturellement, il ne puisse lui pardonner la rossée qu'elle lui procura très indirectement.

....

Mais Biel se demande:

«Pourquoi n'ai-je pas poussé à fond la plainte reconventionnelle contre cette brute de Bronckhorst, et pourquoi ne l'ai-je pas fait arrêter?»

Mistress Strickland voudrait savoir:

«Comment se fait-il que mon mari ait ramené de votre station un si joli cheval d'Australie? Je connais *toutes* ses affaires d'argent, et je suis certaine qu'il ne l'a pas acheté.»

Moi, ce que je voudrais savoir, c'est comment des femmes telles que mistress Bronckhorst en viennent à épouser des gens pareils à Bronckhorst.

Et de ces trois casse-tête, le mien est le plus difficile à résoudre.

VENUS ANNO DOMINI

Et les années se succédèrent, comme c'est le devoir des années; mais notre grande Diane était toujours nouvelle, fraîche, comme en fleur, et blonde, et blanche, avec des yeux azurés, avec une chevelure dorée; et tous, les venants et les partants, lui offraient l'hommage de leurs éloges autant qu'elle le désirait.

(DIANE D'ÉPHESE.)

Elle n'a rien de commun avec le n° 18 qui se trouve dans le Braccio Nuovo du Vatican, entre la Cérès de Visconti et le Dieu du Nil.

C'était une divinité exclusivement hindoue,—une divinité anglo-hindoue, cela s'entend,—et nous l'appelions la *Venus Anno Domini.*

D'après une légende qui avait cours dans le Haut-Pays, elle avait jadis été jeune, mais il n'y avait pas d'homme vivant qui pût venir déclarer hardiment que la légende était vraie.

Des gens arrivaient à cheval à Simla, s'en retournaient, se faisaient une réputation, accomplissaient la tâche de leur vie, et revenaient, pour trouver la *Venus Anno Domini* exactement telle qu'ils l'avaient laissée.

Elle était aussi immuable que les collines, pas tout à fait aussi verte, pourtant.

Tout ce que peut se permettre une jeune fille de dix-huit ans en fait d'équitation, de marche, de danse, de déjeuners sur l'herbe, en un mot d'exercice exagéré, la *Venus Anno Domini* le faisait, sans jamais laisser voir de fatigue, ni trahir d'ennui.

Outre le don de l'éternelle jeunesse, elle avait découvert, à ce que prétendaient les hommes, le secret de l'éternelle santé, et sa renommée s'était répandue au loin dans le pays.

De simple femme, elle s'était élevée à la hauteur d'une Institution, en ce sens qu'aucun jeune homme n'était regardé comme suffisamment formé, tant qu'il n'avait point, à un moment ou à un autre, porté ses hommages au sanctuaire de la *Venus Anno Domini.*

Elle était unique, bien qu'il y eût de nombreuses imitations.

Six ans, à ses yeux, avaient la même durée que six mois pour les femmes ordinaires, et dix ans laissaient sur elle des traces moins visibles qu'une fièvre d'une semaine sur une femme ordinaire.

Tout le monde l'adorait, et, de son côté, elle se montrait agréable et courtoise presque pour tout le monde.

Elle s'était fait de la jeunesse une telle habitude, qu'elle ne pouvait plus s'en séparer. D'ailleurs, elle ne comprit jamais que ce renoncement pût être une nécessité, et elle choisissait sa société préférée parmi des jeunes gens.

Au nombre des adorateurs de la *Venus Anno Domini* se trouvait le jeune Gayerson.

On le nommait le «très jeune Gayerson», pour le distinguer de son père, que l'on appelait le «jeune Gayerson», fonctionnaire civil du Bengale, qui affectait les façons de la jeunesse et qui était, d'ailleurs, jeune de cœur.

Le «très jeune Gayerson» ne se bornait pas, comme les autres jeunes gens, à un culte paisible et de pure forme, à accepter une promenade à cheval, une danse ou une conversation offertes par la *Venus Anno Domini*, et à se montrer alors aussi humble, aussi reconnaissant qu'il convenait.

Il était exigeant.

Aussi la *Venus Anno Domini* le tenait-elle à distance.

Il se tourmentait à propos d'elle, pour des riens, à se rendre malade. Son dévouement et son sérieux le faisaient paraître tantôt timide, tantôt encombrant et rude, selon son humeur du jour, à côté de gens plus âgés qui avaient, avant lui, fléchi le genou devant la *Venus Anno Domini.*

Elle en était fâchée pour lui.

Il lui rappelait un gamin qui, vingt-trois ans auparavant, avait proclamé son dévouement sans bornes pour elle, et pour lequel elle avait éprouvé une sorte de faible pendant plus d'une semaine.

Mais le gamin était parti. Il avait épousé une autre femme, moins d'un an après qu'il l'avait adorée, et la *Venus Anno Domini* avait presque—je dis *presque*—entièrement oublié son nom.

Le «très jeune Gayerson» avait les mêmes grands yeux bleus, la même façon de faire la moue de la lèvre inférieure quand il était animé ou chagrin. Mais la *Venus Anno Domini* ne l'en rappelait pas moins sévèrement à l'ordre.

Trop de zèle était une chose qu'elle n'approuvait pas. Elle préférait à cela une tendresse modérée et contenue.

Le «très jeune Gayerson» était fort malheureux et ne prenait nulle peine pour cacher la souffrance.

Il appartenait à l'armée, à un régiment de ligne, je crois, et sa figure était comme un miroir, son front un livre ouvert. En raison de son innocence, ses frères d'armes lui faisaient la vie dure et aigrissaient son caractère naturellement doux.

Le «très jeune Gayerson» était le seul à savoir quel âge le «très jeune Gayerson» attribuait à la *Venus Anno Domini*, et il ne faisait part de ses idées à personne.

Peut-être lui donnait-il vingt-cinq ans?

Peut-être lui avait-elle dit qu'elle avait cet âge?

Le «très jeune Gayerson» aurait franchi le Gugger débordé, rien que pour porter un billet d'elle, et il croyait en elle aveuglément.

Tout le monde aimait ce jeune homme et tout le monde regrettait qu'il fût ainsi tenu en esclavage par la *Venus Anno Domini*.

Du reste, chacun reconnaissait que ce n'était pas sa faute, à elle, car la *Venus Anno Domini* différait de mistress Hauksbee et de mistress Reiver en ceci qu'elle ne remuait pas même un doigt pour attirer un homme.

C'étaient les hommes qui étaient attirés vers elle, comme vers Ninon de Lenclos.

On pouvait admirer et respecter mistress Hauksbee, avoir du mépris et de l'aversion pour mistress Reiver, mais on était forcé d'adorer la *Venus Anno Domini*.

Le papa du «très jeune Gayerson» dirigeait une division ou une perception ou quelque autre administration dans une partie du Bengale qui est particulièrement désagréable, car elle fourmille de *Babous*[39] qui publient des journaux, où ils démontraient que le «jeune Gayerson» était «un Néron», «une Scylla», «une Charybde»; outre les Babous, il y avait dans la région pas mal de dysenterie et de choléra pendant neuf mois de l'année.

[39] Hindous à demi anglicisés.

Le «jeune Gayerson», qui avait environ quarante-cinq ans, goûtait assez les *Babous*, car ils le divertissaient, mais il trouvait que la dysenterie n'avait rien de plaisant, et dès qu'il put s'échapper, il alla, le plus vite possible, à Darjeeling.

Le jeune homme n'en fut pas très enchanté.

Il dit à la *Venus Anno Domini* que son père allait venir.

Elle rougit légèrement et répliqua qu'elle serait enchantée de faire sa connaissance. Ensuite, elle jeta un long regard pensif sur le «très jeune Gayerson», parce qu'elle était très, très peinée pour lui, et qu'il était un très, très grand sot.

—Ma fille va venir dans une quinzaine de jours, monsieur Gayerson, dit-elle.

—Votre *quoi*? dit-il.

—Ma fille, dit la *Venus Anno Domini.* Elle est partie, il y a un an, pour l'Angleterre et je désire qu'elle voie un peu l'Inde. Elle a dix-neuf ans, et c'est, je crois, une jolie jeune fille et très sensée.

Le «très jeune Gayerson», qui avait moins de vingt-deux ans, faillit tomber de sa chaise en recevant cette étonnante nouvelle, car il s'entêtait à croire, contre toute vraisemblance, à la jeunesse de la *Venus Anno Domini.*

Quant à elle, tournant le dos à la fenêtre tendue de rideaux, elle épiait en souriant l'effet de ses phrases.

Le papa du «très jeune Gayerson» vint douze jours après, et il n'était pas depuis vingt-quatre heures à Simla que deux hommes, de vieux amis, lui avaient appris comment le «très jeune Gayerson» se conduisait.

Le «jeune Gayerson» en rit beaucoup. Il demanda qui pouvait être la *Venus Anno Domini.*

Cela prouve qu'il avait passé sa vie au Bengale, où l'on ne sait jamais rien de ce qui se passe, excepté la cote de la Bourse.

Alors il dit:

—Les enfants seront toujours des enfants.

Et il causa de la chose avec son fils.

Le «très jeune Gayerson» dit qu'il se sentait malheureux, misérable, et le «jeune Gayerson» répondit qu'il regrettait d'avoir contribué à donner le jour à un sot.

Il donna à entendre que son fils ferait mieux d'abréger son congé et de retourner où son service l'appelait.

Cela amena une réponse qui n'avait rien de filial.

Les rapports se tendirent, jusqu'à ce que le «jeune Gayerson» proposât qu'ils rendissent ensemble visite à la *Venus Anno Domini.* Le «très jeune Gayerson» s'y rendit avec son papa, se sentant à la fois mécontent et diminué.

La *Venus Anno Domini* les reçut gracieusement et le «jeune Gayerson» dit:

—Par Jupiter! c'est Kitty!

Le «très jeune Gayerson» aurait bien voulu avoir une explication, s'il n'avait dû essayer de causer avec une grande belle personne tranquille, élégamment mise, que la *Venus Anno Domini* lui présenta comme sa fille.

Celle-ci était tellement plus âgée par ses façons, son apparence et son air reposé, que le «très jeune Gayerson» en fut désespéré.

Bientôt il entendit la *Venus Anno Domini* qui disait:

—Savez-vous que votre fils est un de mes admirateurs les plus dévoués?

—Cela ne m'étonne pas, dit le «jeune Gayerson».

Et élevant la voix:

—Il marche sur les traces de son père. N'ai-je pas adoré le sol que vous fouliez, il y a longtemps de cela, Kitty, et depuis ce temps-là vous n'avez pas changé? Comme cela semble étrange!

Le «très jeune Gayerson» ne souffla mot.

Pendant tout le reste de la visite, sa conversation avec la fille de la *Venus Anno Domini* fut fragmentaire et décousue.

—Alors demain, à cinq heures, disait la *Venus Anno Domini*, et soyez exact, je vous prie.

—A cinq heures précises! dit le «jeune Gayerson». Mon garçon, vous pouvez prêter un cheval à votre vieux père, je suppose? Je vais faire une promenade à cheval demain dans l'après-midi.

—Certainement, dit le «très jeune Gayerson», je repars là-bas demain matin. Mes poneys sont à vos ordres, monsieur.

La *Venus Anno Domini* le regarda à travers la pénombre de la pièce, et ses grands yeux gris se mouillèrent.

Elle se leva et lui tendit la main.

—Adieu, Tom, lui dit à demi-voix la *Venus Anno Domini*.

LE BISARA DE POOREE

«Petit poisson aveugle, tu as une sagesse merveilleuse; petit poisson aveugle, qui t'a arraché les yeux? Ouvre tes oreilles pendant que je murmure mon désir; envoie-moi un amant, petit poisson aveugle!»

(LE CHARME DU BISARA.)

Certains des indigènes disaient que l'objet venait de l'autre côté de Kulu, où se trouve le saphir de neuf pouces.

D'autres soutenaient qu'il avait été fait dans le sanctuaire du diable, à Ao-Chung, dans le Thibet, qu'il avait été dérobé par un *Kafir*, auquel il avait été volé par un *Gurkha*, auquel un *Lahouli* l'avait volé à son tour; que de la même façon il était passé aux mains d'un *khitmagar*, lequel, enfin, l'avait vendu à un Anglais.

De sorte que le Bisara avait perdu toute vertu.

Car pour qu'il agît dans toute sa force, le Bisara de Pooree devait être volé, au besoin avec effusion de sang, mais enfin volé.

Toutes ces histoires sur la façon dont il est venu dans l'Inde sont fausses.

Il a été fabriqué, il y a des siècles, à Pooree. L'histoire de cette fabrication remplirait à elle seule un petit volume. Il fut volé par une des jeunes danseuses du temple de cet endroit, qui en avait besoin pour son usage particulier.

Alors il passa de main en main, toujours dans la direction du nord, jusqu'à ce qu'il arrivât à Han-lé, gardant toujours le nom de Bisara de Pooree.

Sa forme était celle d'une toute petite boîte carrée en argent, où huit rubis balais étaient incrustés extérieurement.

La boîte, s'ouvrant au moyen d'un ressort, laisse voir un petit poisson sans yeux, taillé dans je ne sais quelle matière ligneuse d'une couleur sombre, polie, et enveloppé dans un morceau de drap d'or fané.

Tel est le Bisara de Pooree, et il vaudrait mieux prendre dans la main le roi des cobras que de toucher au Bisara de Pooree.

Tous les genres de magie sont démodés, finis, excepté dans l'Inde, où rien ne change en dépit de la luisante pellicule toute superficielle que nous appelons civilisation.

Le premier venu, à qui vous demanderez quelles sont les vertus du Bisara de Pooree, vous les indiquera,—toujours en supposant qu'il ait été volé pour tout de bon.

C'est le seul charme amoureux, d'un effet régulier, infaillible, qui existe dans le pays, à une exception près.

(L'autre charme est entre les mains d'un simple soldat de la cavalerie du Nizam, dans un endroit nommé Tuprani, au nord de Hyderabad.)

C'est là un fait qu'il faut bien admettre; qu'un autre se charge de l'explication.

Si le Bisara, au lieu d'être volé, est donné ou acheté ou trouvé, il retourne son pouvoir contre son possesseur en trois ans, et le mène à la ruine et à la mort.

Voilà un second fait dont vous chercherez l'explication quand vous en aurez le temps.

D'ici là, vous pouvez en rire.

Pour le moment, le Bisara est en sûreté sur le cou d'un poney qui traîne un *ekka*, à l'intérieur du collier de grains de verre bleu qui éloigne le Mauvais Œil.

Si jamais le conducteur de l'*ekka* le trouve, et qu'il le porte, ou le donne à sa femme, je le plains.

En 1884, le Bisara appartenait à une vieille et très sale coolie des montagnes, une goitreuse de Theog.

J'arrivai à Simla, venant du nord, avant qu'il ne fût acheté par le valet de Churton. Ce valet le vendit, trois fois sa valeur en argent, à Churton, qui collectionnait des curiosités.

Le valet ne savait pas mieux que le maître ce qu'il avait acheté. Mais quelqu'un jeta un coup d'œil sur la collection de Churton—qui, disons-le en passant, était commissaire adjoint. L'homme renseigné vit l'objet et ne dit mot.

C'était un Anglais, mais il savait croire. Cela prouve qu'il différait des autres Anglais.

Il savait qu'il était dangereux d'avoir affaire à la petite boîte, qu'elle fût active ou inactive, et que l'amour est un terrible présent, quand il vient sans qu'on le cherche.

Pack, «Pack le pouilleux» comme nous avons l'habitude de l'appeler, était à tous les points de vue un vilain petit homme, qui avait dû se glisser par erreur dans l'armée.

Il était de trois pouces plus grand que son sabre, mais il s'en fallait de moitié qu'il fût aussi solide, et le sabre était un objet de cinquante shillings, un article de camelote.

Personne ne l'aimait, et je suppose que ce fut son aspect ratatiné et son manque absolu de tout mérite qui le firent s'amouracher si complètement de miss Hollis, qui était bonne et douce, et avait cinq pieds sept pouces dans ses souliers de tennis.

Il ne se borna pas à devenir tranquillement amoureux. Il apporta à cet amour tout ce qu'il y avait d'énergie dans sa misérable petite nature. S'il n'avait pas été aussi antipathique, il aurait inspiré de la pitié.

Il s'agita, se démena, s'irrita, trottina dans tous les sens.

Il s'évertua à se rendre intéressant aux grands yeux gris et calmes de miss Hollis, et il échoua.

Ce fut là un de ces cas comme on en rencontre parfois, même dans ce pays où nous nous marions d'après le Code, un de ces cas d'amour réellement aveugle d'un seul côté, sans qu'on puisse entrevoir la moindre chance de récompense.

Miss Hollis regardait Pack comme une sorte de vermine qui courait sur la route.

Il n'avait d'autre avenir que la solde de capitaine, et il n'avait pas assez d'esprit pour gagner un anna de plus.

Chez un homme de grandes proportions, un amour comme le sien eût été touchant; chez un homme de grand cœur, il eût été grandiose. Mais chez un homme bâti comme il l'était, c'était un fléau, et pas davantage.

Vous croirez peut-être ce qui précède. Mais voici quelque chose que vous ne croirez pas.

Churton et l'homme qui savait la vertu du Bisara lunchaient ensemble au club de Simla.

Churton se plaignait de la vie en général.

Sa meilleure jument avait roulé de son écurie jusqu'au bas de la montagne et s'était brisé les reins.

Ses décisions avaient été cassées par les cours supérieures plus souvent que ne devait s'y attendre un commissaire adjoint ayant huit ans de services.

Il savait ce que c'est que de souffrir du foie et de la fièvre, et, depuis plusieurs semaines, il se sentait mal disposé.

En somme, il était dégoûté, découragé.

La salle à manger du club de Simla est construite, comme tout l'Univers le sait, en deux parties, séparées par une arcade.

Entrez, tournez à gauche, et prenez la table près de la fenêtre. Il vous sera impossible de voir quelqu'un qui sera entré, qui aura tourné à droite, et se sera placé à droite de l'arcade.

Et, chose curieuse, le moindre mot que vous direz pourra être entendu, non seulement par l'autre dîneur, mais encore par les domestiques qui se trouvent derrière la clôture à jour, d'où ils apportent les plats.

Cela vaut la peine d'être connu: une chambre à écho constitue un piège contre lequel il est bon d'avoir été prévenu.

Soit pour plaisanter, soit dans l'espoir de se soulager, l'Homme qui *savait* conta à Churton l'histoire du Bisara de Pooree avec beaucoup plus de détails que je ne vous en ai donnés ici, et termina par le vague conseil donné à Churton de jeter la petite boîte au bas de la côte, pour voir si ses ennuis partiraient avec elle.

Pour des oreilles ordinaires, des oreilles anglaises, ce conte n'était qu'un trait intéressant de folklore.

Churton rit, dit que son petit repas lui avait fait du bien et sortit.

Pack avait déjeuné tout seul de l'autre côté de l'arcade et tout entendu.

Sa passion absurde pour miss Hollis l'avait rendu presque fou, et tout Simla en avait ri.

Chose curieuse, quand un homme est animé par une haine ou un amour déraisonnable, il est prêt à faire des choses déraisonnables pour satisfaire sa passion.

Ce sont des choses qu'il ne ferait pas, s'il n'avait en vue que l'argent ou le pouvoir. Vous pouvez en être certain.

Salomon n'aurait jamais élevé d'autels à Astaroth, non plus qu'à d'autres dames aux noms bizarres, s'il n'y avait eu des troubles quelconques dans son *zenana*[40], et là seulement. Mais ceci est une autre histoire.

[40] Gynécée.

Voici les éléments de l'affaire.

Le lendemain. Pack alla rendre visite à Churton, pendant son absence; il laissa sa carte, et *vola* le Bisara de Pooree sous la pendule qui ornait la cheminée. Il le vola comme un voleur qu'il était, naturellement.

Trois jours après, tout Simla reçut une commotion électrique en apprenant que miss Hollis avait agréé Pack, ce rat tout ratatiné de Pack.

Pouvez-vous exiger rien de plus probant?

Le Bisara de Pooree avait été volé et il avait opéré comme il opérait toujours quand on l'acquérait par des moyens coupables.

Il y a, dans l'existence d'un homme, trois ou quatre circonstances où il a le droit d'intervenir dans les affaires d'autrui pour y jouer le rôle de la Providence.

L'Homme qui *savait* sentait qu'il *avait* ce droit, mais croire et agir sont deux choses bien différentes.

La satisfaction insolente que montrait Pack en chevauchant à l'amble, côte à côte avec miss Hollis, et le soulagement remarquable qu'éprouva Churton du côté de son foie, dès que le Bisara de Pooree eut disparu, décidèrent l'Homme.

Il expliqua la chose à Churton qui en rit, parce qu'il n'en était pas encore arrivé au point de croire que des gens qui figurent sur la liste du personnel officiel se rendent coupables de vol, de menus vols tout au moins. Mais ce miracle, l'acceptation de ce pouilleux de Pack par miss Hollis, le décida à faire quelques pas dans la voie du soupçon.

Il déclara qu'il voulait seulement savoir ce qu'était devenue sa boîte d'argent incrustée de rubis.

Vous ne pouvez pas accuser de vol un homme qui figure sur la liste officielle du personnel, et, si vous fouillez sa chambre, c'est vous qui êtes un voleur.

Churton, poussé par l'Homme qui *savait*, opta pour un cambriolage...

S'il ne trouvait rien dans la chambre de Pack... mais il vaut mieux ne pas songer à ce qui serait arrivé dans ce cas.

Pack alla danser à Benmore.

En ce temps-là, Benmore était Benmore, et non pas un bureau. Sur vingt-deux valses, Pack en dansa quinze avec miss Hollis.

Churton et l'Homme qui *savait* se munirent de toutes les clefs qu'ils purent trouver, et se rendirent à la chambre que Pack occupait dans l'hôtel.

Pack en tenait pour le bon marché: il n'avait pas même acheté de coffret convenable pour y serrer ses papiers; il s'était contenté d'une de ces contrefaçons indigènes que vous avez pour deux roupies.

La première clef venue l'ouvrait, et là, tout au fond, sous le contrat d'assurance de Pack, était le Bisara de Pooree.

Churton proféra quelques injures à l'adresse de Pack, mit le Bisara de Pooree dans sa poche, et alla au bal avec l'Homme.

Il arriva assez tôt pour le souper et vit dans les yeux de miss Hollis que c'était le commencement de la fin.

Après le souper, elle eut une crise de nerfs et fut emmenée par sa maman.

Au bal, Churton, qui avait dans sa poche l'abominable Bisara, se fit une entorse en descendant les marches qui menaient à l'ancien Skating-Rink, et il fallut le ramener tout bougonnant chez lui en pousse-pousse.

Cet indice ne le porta pas davantage à croire aux vertus du Bisara de Pooree, mais il chercha à rencontrer Pack, et lui décerna quelques-unes de ses injures les plus affreuses: celle de voleur était la moindre.

Pack accueillit cette bordée avec le sourire nerveux d'un être qui manque à la fois d'âme et de corps pour se révolter contre un affront, et il s'en alla.

Il n'y eut pas de scandale public.

Une semaine plus tard, Pack reçut de miss Hollis son congé définitif.

Elle avait commis, disait-elle, une méprise dans le placement de ses affections.

En conséquence, il partit pour Madras, où il ne saurait faire grand mal, quand même il vivrait assez longtemps pour passer colonel.

Churton insista auprès de l'Homme qui *savait*, pour lui faire accepter, en cadeau, le Bisara de Pooree.

L'Homme le prit, alla aussitôt sur la route charretière, y trouva un poney d'*ekka*, qui avait un collier de verroterie bleue, fixa le Bisara de Pooree en dedans, avec des cordons de souliers, et remercia le ciel d'être hors de danger.

Retenez bien ceci: au cas où vous trouveriez le Bisara de Pooree, vous ne devez pas le détruire. En ce moment-ci je n'ai pas le temps de vous expliquer pourquoi, mais sa vertu réside dans le petit poisson de bois. M. de Gubernatis ou Max Müller pourraient vous en dire plus long que moi sur ce sujet.

Vous allez dire que cette histoire est fabriquée de toutes pièces.

Très bien.

Si jamais vous trouvez une petite boîte d'argent, de sept huitièmes de pouce de long sur trois quarts de pouce de large, sertie de rubis, dans laquelle se trouve un petit poisson en bois brun, enveloppé de drap d'or, gardez-la. Gardez-la trois ans, et alors vous saurez par vous-même si mon histoire est vraie ou fausse.

Faites mieux encore: volez-la, à l'instar de Pack, et vous regretterez de n'avoir pas commencé par vous suicider.

L'AMI D'UN AMI

Pourquoi avez-vous égorgé l'étranger?—Il m'a apporté le déshonneur... J'ai sellé ma jument Bijli, je l'ai placé sur elle. Je lui ai donné du riz et de la viande de chèvre. Il m'a exposé tout nu aux rires. Quand il fut sorti de ma tente, je le poursuivis d'un pas rapide, une épée à la main. Il était gorgé de vin capiteux. Sous les étoiles il me railla. C'est pourquoi je l'ai tué.

(HADRAMAUTI.)

Ce récit doit être conté en employant la première personne: cela pour plusieurs raisons.

L'homme que je me propose de démasquer est Tranter, du pays de Bombay. Je veux que Tranter soit blackboulé à son Club, divorcé d'avec sa femme, chassé de l'administration et jeté en prison, à moins que je ne reçoive de lui des excuses écrites. Je désire mettre l'univers sur ses gardes contre Tranter, du pays de Bombay.

Vous savez comment, dans l'Inde, on recommande à la légère des gens que l'on connaît superficiellement.

C'est un procédé qui offre de grands avantages, car si un homme vous déplaît, vous pouvez vous défaire de lui en lui écrivant une lettre d'introduction, et en l'embarquant dans le train avec la lettre. C'est la meilleure façon de traiter les «gentlemen à titre temporaire ou, par abréviation, à T.T.». Si vous les faites circuler, ils n'ont pas le loisir de dire des insultes et des choses blessantes à l'adresse de «la société anglo-indienne».

Un jour, vers la fin de la saison froide, je reçus une lettre préparatoire de Tranter, du pays de Bombay, qui m'avisait de la venue d'un gentleman à T.T., un certain Jevon, et me disait, suivant la formule ordinaire, que tout ce que je ferais pour être agréable à Jevon serait agréable à lui, Tranter.

Tout le monde sait que c'est le libellé officiel de ce genre de communications.

Deux jours après, Jevon arriva, porteur de sa lettre d'introduction, et je fis de mon mieux pour lui.

C'était un homme aux cheveux couleur filasse, au teint frais, et très anglais. Il n'avait pas, cependant, d'opinion spéciale sur le gouvernement de l'Inde.

Il n'insista pas non plus pour abattre des tigres sur le mail de la station, ainsi que le font certains gentlemen à T.T.

Il ne nous traita pas de «coloniaux»; il ne dîna point en chemise de flanelle et complet de grosse laine, comme le font d'autres gentlemen à T.T., qui sont dupes de l'illusion coloniale.

Il avait de bonnes manières. Il se montra très reconnaissant du peu que je fis pour lui, très reconnaissant lorsque je lui procurai une invitation pour le Bal Afghan et que je le présentai à mistress Deemes, pour qui je professais autant de respect que d'admiration, et qui dansait comme l'ombre d'une feuille sous un vent léger.

J'attachais un grand prix à l'estime de mistress Deemes et, si j'avais su ce qui se préparait, j'aurais cassé le cou à Jevon avec une tringle à rideaux plutôt que de lui procurer cette invitation.

Mais je ne savais pas.

Il dîna au Club, je crois, le soir du bal.

Je dînai chez moi.

Quand je vins au bal, le premier homme que je rencontrai me demanda si j'avais vu Jevon.

—Non, dis-je, il est au Club. N'est-il donc pas venu?

—Pas venu! dit l'homme. Oh! si, il n'est que trop venu. Vous ferez bien d'avoir l'œil sur lui.

Je cherchai Jevon, et je le trouvai assis sur un banc, se souriant à lui-même et souriant à un programme.

Un rapide coup d'œil me suffit. Cette soirée-là, précisément, avait été pour lui une longue soirée de soif: il avait trop bu!

Il respirait bruyamment par le nez. Ses yeux étaient fort rouges, et il paraissait très satisfait du monde entier.

J'adressai au ciel une petite prière pour que la valse dissipât les fumées du vin, et je m'occupai de remplir des programmes de danses, mais j'étais mal à l'aise. Lorsque je vis Jevon se diriger vers mistress Deemes pour la première valse, je compris que toutes les valses portées sur la carte ne suffiraient pas pour raffermir les jambes rebelles de Jevon.

Le couple fit six tours. Je les ai comptés.

Mistress Deemes lâcha le bras de Jevon et vint à moi.

Je me garderai bien de rapporter ce que me dit mistress Deemes, parce qu'elle était de fort mauvaise humeur.

Je n'écrirai pas non plus ce que je répondis à mistress Deemes, parce que je ne lui répondis pas un mot.

Je me pris à regretter de n'avoir pas tué Jevon tout d'abord et de n'avoir pas été pendu pour ce fait.

Mistress Deemes raya au crayon toutes les danses qu'elle m'avait réservées, et s'en alla, me laissant là à réfléchir sur la réponse que j'aurais dû faire, à savoir que c'était mistress Deemes qui m'avait demandé de la présenter à Jevon, parce qu'il dansait bien, et que je n'avais nullement ourdi un savant complot pour lui causer un affront.

Mais je sentis que l'argument n'était pas bon, et que je ferais mieux de pourvoir à ce que les valses de Jevon ne me jetassent pas dans de nouveaux ennuis.

Quant à lui, il avait disparu.

Toutes les trois danses, je partais pour lui faire la chasse. Cela gâta entièrement le peu de plaisir que j'attendais de cette fête.

Juste avant le souper, je rattrapai Jevon; il se tenait devant le buffet, les jambes largement écartées, et parlait à un chaperon, une dame très grasse et indignée:

—Si cette personne est de vos amis, comme on me l'a donné à entendre, dit-elle, je vous engage à le conduire chez lui, car il n'est pas en état de paraître dans une société respectable.

Alors je devinai que Dieu seul savait ce que Jevon avait commis et je tâchai de l'emmener.

Mais Jevon ne voulait pas. Il savait parfaitement ce qu'il avait à faire. Il n'entendait pas recevoir des ordres d'un colonial, d'un meneur de nègres. N'étais-je pas l'ami qui avait formé son âme d'enfant, qui lui avait appris à acheter des cuivres de Bénarès et à craindre Dieu? Et nous avions encore pas mal de bons coups à boire ensemble, n'est-ce pas? Et toutes les chamelles du monde, avec leurs toilettes de soie noire, ne lui ôteraient pas de l'esprit que la bénédictine est le meilleur des apéritifs. Et... et... Mais il était mon hôte.

Je le déposai dans un coin tranquille de la salle du buffet et allai chercher un «étai» sur lequel je pusse compter.

Il y avait là un bon et serviable lieutenant. Que le ciel bénisse ce lieutenant et en fasse un commandant en chef! Il entendit parler de mon ennui. Il ne dansait pas, et il avait la tête aussi solide que des poutres en bois de teck de cinq ans. Il promit de s'occuper de Jevon jusqu'à la fin du bal.

—Je suppose que cela vous est égal de savoir ce que je ferai de lui, me dit-il.

—Si cela m'est égal? dis-je. Non! vous pouvez tuer cet animal, si ça vous fait plaisir.

Mais le lieutenant ne le tua point.

Il s'en alla du côté de la salle du buffet, et s'installa à côté de Jevon, le faisant boire et lui rendant raison.

Je vis mes deux hommes attablés face à face et m'en allai plus rassuré.

Quand retentit la sonnerie *Le roast-beef de la vieille Angleterre*, j'appris quels avaient été les exploits de Jevon depuis la première danse jusqu'au moment où je l'avais retrouvé au buffet.

Après que mistress Deemes se fut débarrassée de lui, il paraît qu'il avait trouvé le chemin de la galerie, et qu'il s'était offert, soit à diriger l'orchestre, soit à jouer de n'importe quel instrument, au choix du chef d'orchestre.

Le chef d'orchestre ayant refusé, Jevon dit qu'on ne savait pas l'apprécier, et il exprima le désir de trouver de la sympathie.

En conséquence, il dégringola l'escalier, demeura avec quatre jeunes personnes pendant la durée de quatre danses, et proposa le mariage à trois d'entre elles.

Disons en passant que l'une était mariée.

Ensuite il alla dans la salle du whist, s'abattit de tout son long sur la carpette qui était devant le feu et y pleura, parce que, disait-il, il était tombé dans un tapis-franc et que sa maman lui avait toujours recommandé de fuir les mauvaises compagnies.

Il avait fait bien d'autres sottises et absorbé environ trois litres de liqueurs variées.

En outre, il parlait de moi dans les termes les plus scandaleux.

Toutes les femmes demandaient qu'on le mît à la porte, tous les hommes étaient prêts à le chasser à coups de pied. Le pire, c'est qu'on disait que c'était ma faute.

Or, je vous le demande, comment diantre aurais-je pu me douter que ce gentleman à T.T., joufflu et bon enfant, ferait de tels éclats?

Comme il avait presque fait le tour du monde, son vocabulaire d'injures était cosmopolite, mais le japonais y prédominait. Il l'avait appris dans une maison de thé de bas étage, à Hakodaté; cela ressemblait à un sifflement.

Pendant que les hommes me racontaient, l'un après l'autre, la conduite de Jevon et me demandaient son sang, je cherchais où il pouvait bien être. J'étais décidé à le sacrifier séance tenante à la société.

Mais Jevon était parti; bien loin, dans le fond de la salle du souper, j'aperçus mon cher, mon aimable lieutenant, l'air un peu animé, en train de manger de la salade.

—Où est Jevon? demandai-je.

—Au vestiaire. Il s'y tiendra jusqu'à ce que ces dames soient parties. Ne vous occupez pas de mon prisonnier.

Je n'avais aucune intention de m'en occuper. Mais je jetai un coup d'œil dans le vestiaire: mon hôte était confortablement couché sur des tapis roulés, le col déboutonné et une compresse mouillée sur la tête.

Je passai le reste de la soirée à tenter de timides essais pour expliquer les choses à mistress Deemes et à trois ou quatre autres dames, à m'efforcer de laver mon honneur,—car je suis un homme respectable,—des taches dont mon hôte l'avait sali.

Le mot de diffamation était insuffisant pour exprimer ce qu'il avait dit.

Enfin, ce funeste bal se termina, sans pourtant que j'eusse reconquis la bienveillance de mistress Deemes. Lorsque les dames furent parties, comme quelqu'un, au second souper, réclamait des chansons, mon angélique lieutenant dit au *kansamah*[41] d'apporter le *sahib* qui était au vestiaire et de débarrasser un bout de la table.

[41] Maître d'hôtel.

Pendant ce temps, nous nous formâmes en tribunal, en donnant la présidence au docteur.

Jevon fit son entrée sur les épaules de quatre hommes, et fut étendu sur la table, tel un cadavre sur une table à dissection, où il ronfla pendant que le docteur faisait un discours sur les inconvénients de l'intempérance.

Puis, on se mit à la besogne.

On lui noircit toute la figure avec du bouchon brûlé. On lui couvrit toute la chevelure de crème de meringues, tellement qu'elle ressemblait à une perruque blanche.

Afin que tout cela restât en état jusqu'à siccité, un officier d'artillerie, qui s'y entendait, enduisit de crème de meringues un grand bonnet de papier bleu, provenant d'un pétard, et le fit descendre très bas sur le front.

Il s'agissait d'une punition, non point d'un divertissement, ne l'oubliez pas.

On sortit de la gélatine des pétards et on lui barbouilla le nez avec de la gélatine bleue, le menton avec de la jaune, les joues avec de la verte, en appuyant sur chaque couleur jusqu'à ce qu'elle adhérât aussi solidement que la peau employée par les batteurs d'or.

On lui mit autour du cou une collerette découpée d'un jambon, et on y fit un nœud par devant.

Il dodelinait de la tête comme un mandarin.

On colla de la gélatine sur le dos de ses mains, dont la paume fut barbouillée avec du bouchon brûlé. On lui mit, autour des poignets, des collerettes à côtelettes. Puis on lui attacha les poignets ensemble. On cira avec de la colle les pointes de sa moustache. Il avait l'air tout à fait martial.

On le retourna. On épingla à ses épaules les pans de son habit de soirée, et on y mit une rosette en papier faite avec des papillottes de côtelette.

On prit le drap rouge qui allait de la salle de bal à la salle du souper, et on l'enroula autour de lui. Cela faisait soixante pieds d'étoffe rouge, sur six de large, et on le roula en un gros paquet, d'où émergeait seule sa drôle de tête.

Enfin, on ficela ce qui restait d'étoffe au-dessous de ses pieds, avec des cordes en fibre de cocotier qu'on serra autant qu'on put.

Nous étions si furieux que c'est à peine si nous avons ri.

Au moment même où nous finissions, nous entendîmes le roulement de chars à bœufs, qui venaient reprendre des chaises et d'autres objets prêtés pour le bal par la femme du général.

En conséquence, nous hissâmes Jevon, comme s'il eût été un rouleau de tapis, sur un des chars, et ceux-ci repartirent.

Ce qu'il y a de plus extraordinaire dans cette histoire, c'est que je n'ai jamais revu Jevon, gentleman à titre temporaire, ni entendu parler de lui.

Il s'éclipsa soudain.

Il ne fut pas déposé chez le général avec les tapis. Il disparut dans les noires ténèbres de la nuit finissante, et il fut englouti. Peut-être bien qu'il mourut et fut jeté à la rivière.

Mais mort ou vif, je me demande comment il se débarrassa de l'étoffe rouge et de la crème de meringues.

Je me demande également si, quelque jour, mistress Deemes fera de nouveau attention à moi et si je survivrai aux infâmes histoires que Jevon répandit sur mes manières et mes habitudes, entre la première et la neuvième valse du Bal Afghan.

Ces choses-là sont plus collantes que la crème.

Voilà pourquoi je veux trouver à tout prix Tranter, du pays de Bombay, mort ou vif, mais de préférence mort.

LA PORTE DES CENT CHAGRINS

Si je peux monter au ciel pour un *pice*[42], pourquoi m'en vouloir?

(PROVERBE DU FUMEUR D'OPIUM.)

[42] Le quart d'un *anna*.

Ce conte-ci n'est pas de moi.

Mon ami, Gabral Misquitta, le sang-mêlé, me le conta d'un bout à l'autre, entre le coucher de la lune et l'aube, six semaines avant sa mort, et je le notai à mesure qu'il répondait à mes questions, ainsi qu'il suit:

Cette Porte est située entre la ruelle du Chaudronnier et le quartier des marchands de tuyaux de pipe, donc à une centaine de mètres, à vol d'oiseau, de la mosquée de Wazir Khan.

Je ne risque rien à donner tant d'indications, car je défie qui que ce soit de trouver cette Porte, même celui qui croit bien connaître la cité.

Vous pourriez passer cent fois par la ruelle où se trouve cette Porte, sans être plus avancé pour cela.

Nous appelions cette ruelle «la ruelle de la Fumée noire», mais naturellement le nom que lui donnent les indigènes est fort différent.

Un âne chargé ne pourrait passer entre les murs, et juste avant cette Porte, une maison, dont la façade fait ventre, oblige les passants à marcher à la queue leu leu.

En fait, il n'y a pas de porte: c'est une maison.

Le vieux Fung-Tching en fit l'acquisition il y a cinq ans.

Il était cordonnier à Calcutta.

On dit qu'il tua sa femme pendant un accès d'ivresse. C'est pourquoi il renonça au rhum de bazar et le remplaça par la Fumée noire.

Plus tard, il remonta vers le nord et fit de la Porte une maison où vous pouvez déguster votre fumée dans la paix et la tranquillité.

Ne l'oubliez pas, c'était une fumerie d'opium bien tenue, et non point une de ces *chandoo-khanas*[43], où l'on étouffe, où l'on sue, comme il s'en trouve par toute la Cité.

[43] Bouge où l'on fume l'opium.

Non, le vieux entendait parfaitement son affaire, et, pour un Chinois, il était très propre.

C'était un petit bonhomme borgne, dont la taille ne dépassait guère cinq pieds, et qui n'avait plus de doigts médians aux deux mains.

Il n'en était pas moins l'homme le plus expert que j'aie jamais vu pour rouler les pilules noires.

Il n'avait pas l'air d'être affecté par la Fumée, et pourtant il en absorbait une bonne dose le jour et la nuit.

Je l'ai fréquenté cinq ans. Pour fumer, je puis tenir tête à n'importe qui, mais sous ce rapport je n'étais qu'un enfant à côté de Fung-Tching.

N'empêche que le vieux était très près de ses intérêts, et c'est ce que je ne puis comprendre.

J'ai entendu dire qu'il avait économisé une forte somme; mais maintenant c'est son neveu qui a tout cela, et le vieux est retourné en Chine pour y être enterré.

Il tenait la grande chambre d'en haut,—réservée à ses meilleurs clients,—aussi propre qu'une épingle neuve.

Dans un coin, on voyait le magot de Fung-Tching, presque aussi laid que Fung-Tching lui-même. Des bâtons brûlaient continuellement devant son nez, mais on ne les sentait pas quand les pipes étaient bien en train.

En face du magot était le cercueil de Fung-Tching: il y avait consacré une bonne partie de ses économies, et toutes les fois qu'un nouveau client venait à la Porte, on le lui montrait. Ce cercueil était laqué de noir, avec des inscriptions en rouge et en or, et j'ai entendu dire que Fung-Tching avait fait venir tout cela de Chine.

Je ne sais si c'était vrai ou faux, mais je sais bien que, les soirs où j'arrivais le premier, je ne manquais jamais d'étendre ma natte au pied du cercueil.

C'était un coin tranquille, voyez-vous, et il arrivait de temps en temps de la ruelle, par la fenêtre, une sorte de brise.

A part les nattes, il n'y avait aucun meuble dans la pièce, si ce n'est le cercueil; le vieux magot était si vieux et on le polissait si souvent, qu'il avait fini par devenir vert, bleu et pourpre.

Fung-Tching ne nous a jamais dit pourquoi il appelait cet endroit la Porte des Cent Chagrins.

C'est le seul Chinois qui, à ma connaissance, se soit servi de noms d'une fantaisie lugubre. La plupart ont un air fleuri, comme vous le voyez à Calcutta.

Nous en trouvions nous-mêmes l'explication.

Il n'y a rien qui vous empoigne aussi fort, si vous êtes un blanc, que la Fumée noire. Un homme jaune est fait autrement. C'est à peine si l'opium lui fait du mal. Mais les blancs et les noirs en pâtissent beaucoup.

Bien sûr, il y a des gens sur lesquels la Fumée ne produit pas plus d'effet que le tabac, dans les commencements. Ils piquent un petit somme. On dirait qu'ils s'endorment naturellement, et, le lendemain, ils sont tout prêts à travailler.

J'étais de ceux-là au début. Mais j'ai continué sans interruption pendant cinq ans, et maintenant il n'en est plus de même.

J'avais une vieille tante, par là-bas, du côté d'Agra. Elle m'a laissé quelque chose à sa mort, environ soixante roupies de rente par mois. Ce n'est pas beaucoup.

Je puis me rappeler un temps,—il me semble qu'il y a de cela des centaines d'années,—où je gagnais mes trois cents roupies par mois, sans compter les revenants-bons, dans une grande entreprise de charpente, à Calcutta.

Je n'y restai pas bien longtemps.

La Fumée noire ne permet guère d'autre occupation, et bien que je n'en souffre presque pas, en comparaison des autres, je ne pourrais, pour rien au monde, faire ma journée maintenant.

Après tout, soixante roupies, c'est tout ce qu'il me faut.

Quand le vieux Fung-Tching vivait, c'était lui, d'ordinaire, qui allait toucher mon argent; il m'en rendait à peu près la moitié pour vivre (je mange fort peu) et il gardait le reste.

Je pouvais venir à la Porte à toute heure du jour ou de la nuit pour y fumer et y dormir, si je voulais. Aussi je ne m'inquiétais de rien.

Je sais bien que le vieux faisait un joli bénéfice sur moi, mais cela importe peu. Rien ne me touche beaucoup, et, en outre, l'argent tombait régulièrement tous les mois.

Nous étions dix clients à la Porte, quand la maison fut ouverte: moi, deux Babous employés dans un bureau du gouvernement, quelque part vers Anarkulli, mais ils furent congédiés et ne pouvaient pas payer; (quiconque travaille le jour est incapable de faire de la Fumée noire d'une manière régulière); un Chinois, neveu de Fung-Tching; une femme du bazar qui avait gagné, je ne sais comment, une forte somme; un Anglais fainéant, un Mac je ne sais qui, dont j'ai oublié le nom (il fumait énormément, et on ne le voyait jamais payer—; on disait qu'il avait sauvé la vie à Fung-Tching dans un procès, alors qu'il était avocat à Calcutta); un autre Eurasien comme moi, de Madras; une femme de demi-caste, et deux hommes qui disaient être venus du Nord. Je crois que c'étaient des Persans ou des Afghans, ou quelque chose d'approchant.

Nous ne sommes plus que cinq, mais nous venons régulièrement.

Je ne sais ce que sont devenus les Babous; quant à la femme du bazar, elle est morte après six mois de Porte, et je crois que Fung-Tching s'est approprié ses pendeloques et son anneau de nez. Mais je n'en suis pas certain.

L'Anglais, qui buvait autant qu'il fumait, a cessé de venir.

Un des Persans a été tué dans une rixe, la nuit, près du grand puits qui se trouve à côté de la mosquée, il y a longtemps de cela, et la police a fermé le puits en disant qu'il en sortait du mauvais air. On a trouvé son cadavre au fond.

Ainsi, comme vous le voyez, il ne reste que moi, le Chinois, la femme de demi-caste que nous appelons la *Memsahib* (elle habitait ordinairement avec Fung-Tching), l'autre Eurasien et un des Persans.

Aujourd'hui la Memsahib a l'air très vieille.

Je crois que c'était une jeune femme quand la Porte s'ouvrit, mais à ce compte-là nous sommes tous vieux. Nous avons des centaines et des centaines d'années.

Il est bien difficile de se faire une idée du temps, à la Porte, et, d'ailleurs, le temps ne m'importe guère.

Je reçois mes soixante roupies régulièrement, chaque mois.

Il y a longtemps, bien longtemps, je gagnais mes trois cent cinquante roupies par mois, sans compter les revenants-bons, dans une grande entreprise de charpente à Calcutta.

J'avais une femme de bonne condition. Mais elle est morte. On dit que j'ai été cause de sa fin en m'adonnant à la Fumée. Peut-être est-ce vrai, mais il y a si longtemps que cela n'a pas d'importance.

Dans les premiers temps où je venais à la Porte, j'avais parfois des remords, mais tout cela est fini, passé depuis longtemps, et je touche mes soixante roupies régulièrement, tous les mois, et je suis parfaitement heureux.

Non pas d'un bonheur qui enivre, vous savez, mais toujours tranquille, et content, et satisfait.

Comment m'y suis-je mis?

Cela a commencé à Calcutta.

J'en essayais de temps en temps à la maison, rien que pour voir quel goût cela avait. Je ne suis jamais allé bien loin, mais je crois que ma femme a dû mourir vers ce temps-là.

En tout cas, je me trouvai ici, et je fis la connaissance de Fung-Tching.

Je ne me souviens pas exactement comment cela arriva, mais il me parla de la Porte, je pris l'habitude d'y venir et, d'une façon ou de l'autre, je n'en suis jamais sorti depuis.

Remarquez bien ceci, pourtant: au temps de Fung-Tching, la Porte était un endroit respectable où l'on avait ses aises, et elle ne ressemblait nullement à ces *chandoo-khanas* où vont les nègres.

Non, elle était propre et tranquille.

Certes, il y avait d'autres gens que nous dix et le patron, mais chacun de nous avait sa natte, avec un coussin de tête capitonné en laine, bariolé de dragons noirs et rouges et d'autres figures, tout comme le cercueil du coin.

Au bout de la troisième pipe, les dragons commençaient à remuer et à se battre.

Je les ai regardés pendant bien des nuits.

J'avais pris l'habitude de régler ma Fumée d'après eux, mais maintenant il me faut une douzaine de pipes pour qu'ils bougent. En outre, ils sont tout à fait abîmés et salis, comme les nattes, et le vieux Fung-Tching est mort.

Il est mort, il y a une couple d'années; il m'a donné la pipe dont je me sers toujours maintenant, une pipe en argent, avec de drôles de bêtes qui montent et qui descendent le long du récipient, sous le fourneau.

Auparavant, à ce que je crois, je me servais d'un gros tuyau de bambou, avec un fourneau de cuivre, très petit, à embouchure en jade vert.

Il était un peu plus gros qu'une canne, et la Fumée en était douce, très douce. On eût dit que le bambou aspirait la Fumée.

L'argent ne la garde pas, et il faut le nettoyer de temps en temps; c'est très ennuyeux, mais je continue à y fumer en souvenir du vieux.

Il a dû gagner beaucoup sur moi, mais il me donnait toujours des nattes et des oreillers propres et la meilleure drogue qu'on pût trouver.

Quand il mourut, son neveu Tsing-Ling prit possession de la Porte, et il l'appela le Temple des Trois Possessions; mais nous, les vieux, nous continuons à l'appeler tout de même la Porte des Cent Chagrins.

Le neveu fait les choses très chichement, et je crois que la *Memsahib* doit l'aider. Elle demeure avec lui, tout comme elle faisait avec le vieux.

Ils reçoivent un tas de gueux, des nègres, etc., et la Fumée noire n'est plus aussi bonne que dans le temps.

J'ai trouvé plus d'une fois du son brûlé dans la pipe. Le vieux en serait mort, si la chose était arrivée de son temps.

En outre, la chambre n'est jamais nettoyée, toutes les nattes sont déchirées et effilochées aux bords.

Le cercueil est parti,—reparti en Chine,—avec le vieux et deux onces d'opium dans l'intérieur, pour le cas où il en aurait besoin pendant le voyage.

Le magot voit beaucoup moins de bâtons brûler sous son nez que jadis. C'est un mauvais signe, aussi sûr que la Mort. Et puis, il est tout brun, et personne ne s'occupe de lui.

C'est la *Memsahib*, je le sais, qui en est cause, car un jour que Tsing-Ling voulait brûler devant le magot du papier doré, elle dit que c'était de l'argent perdu, et que s'il employait un cierge qui brûle très lentement, le magot ne s'apercevrait pas de la différence.

Aussi nous sommes-nous procuré des cierges où il entre une grande quantité de colle. Ils durent une demi-heure de plus, et leur fumée empeste; et la chambre pue assez par elle-même.

Il n'y a pas de commerce possible s'ils se mettent sur ce pied-là. Le magot ne peut pas souffrir ça. Je le vois bien. Au milieu de la nuit il prend toutes sortes de couleurs étranges,—bleu, vert, rouge,—comme il faisait quand le vieux Fung-Tching vivait encore. Il roule les yeux et trépigne comme un diable.

Je ne sais pourquoi je ne quitte pas cet endroit, pourquoi je ne vais pas fumer tranquillement dans une petite chambre à moi, au bazar.

Il est bien probable que Tsing-Ling me tuerait, si je m'en allais.

Il touche mes soixante roupies; et puis, ce serait me donner bien du mal. J'ai fini par m'attacher beaucoup à la Porte.

Ce n'est pas qu'elle soit bien attrayante.

Elle n'est plus ce qu'elle était au temps du vieux, mais je ne pourrais pas la quitter. J'en ai tant vu entrer et sortir. Et j'en ai tant vu mourir ici sur les nattes, que j'aurais peur maintenant de mourir dehors.

J'ai vu certaines choses que les gens trouvaient bien étranges, mais rien ne vous paraît étrange quand vous êtes habitué à la Fumée noire, si ce n'est la Fumée noire elle-même. Et quand cela serait, peu importe.

Fung-Tching se montrait très difficile sur son monde, et il n'aurait jamais reçu un client capable de donner du tracas, par une mort inopportune ou autrement. Mais le neveu fait beaucoup moins de façons.

Il dit partout qu'il tient une maison de premier ordre.

Il ne cherche pas à recruter discrètement sa clientèle, et à la traiter confortablement, comme faisait Fung-Tching.

C'est pourquoi la Porte commence à être déjà un peu plus connue qu'elle ne l'était, parmi les gens de couleur naturellement.

Le neveu n'oserait pas, pour cette raison, y amener un blanc, ni même un homme de sang mêlé.

Naturellement, il nous garde tous les trois, moi, la *Memsahib* et l'autre Eurasien. Nous sommes immeubles par destination. Mais il ne nous ferait pas crédit d'une pipe, pour rien au monde.

Un de ces jours, je l'espère, je mourrai dans la Porte.

Le Persan et l'homme de Madras sont terriblement bas maintenant. Ils ont pris un *boy* pour leur allumer leur pipe. Cela, je le fais toujours moi-même.

Selon toute probabilité, je les verrai partir avant moi.

Je ne pense pas survivre à Tsing-Ling ou à la *Memsahib*. Les femmes résistent à la Fumée noire plus longtemps que les hommes et Tsing-Ling tient beaucoup du vieux, bien qu'il fume de la marchandise bon marché.

La femme du bazar sut deux jours à l'avance quand elle partirait. *Elle*, elle est morte sur une natte propre, avec un oreiller bien rembourré, et le vieux a suspendu au-dessus du magot la pipe dont elle se servait.

Il l'a toujours aimée, j'imagine. Mais il lui a tout de même pris ses pendeloques.

J'aimerais à mourir comme la femme du bazar, sur une natte propre et fraîche, avec unc pipe de bon opium aux lèvres.

Quand je sentirai que je m'en vais, je demanderai tout cela à Tsing-Ling, et il pourra toucher mes soixante roupies par mois, régulièrement, aussi longtemps qu'il voudra.

Puis je m'allongerai sur le dos, tranquillement, bien à l'aise. Je regarderai les dragons noirs et rouges se livrer une dernière grande bataille; et puis…

Bah! peu importe. Tout m'est égal. Je voudrais seulement que Tsing-Ling ne mît pas de son dans la Fumée noire.

L'ACCÈS DE FOLIE DU SOLDAT ORTHERIS

Oh! où voudrais-je être quand mon gosier sera sec?

Oh! où voudrais-je être quand voleront les balles?

Oh! où voudrais-je être à l'heure de mourir?

Mais!

Quelque part tout près de mon copain.

S'il a quelque chose à boire il m'en donnera,

Si je meurs il me soutiendra la tête,

Et quand je serai mort il écrira à ceux de chez moi.

Que Dieu nous donne un bon copain!

(CHANSON DE CHAMBREE.)

Mes amis Mulvaney et Ortheris étaient partis à la chasse pour un jour.

Learoyd était encore à l'hôpital à se remettre d'une fièvre attrapée en Birmanie.

Ils m'envoyèrent une invitation à les rejoindre, et ils furent réellement peinés en me voyant apporter de la bière, en quantité presque suffisante pour contenter deux simples soldats d'infanterie… et moi-même.

—Ce n'est pas pour ça que nous vous avons invité, monsieur: c'est pour le plaisir de votre société, dit Mulvaney d'un air boudeur.

Ortheris vint à mon aide en ces termes:

—Bah! Il ne s'en trouvera pas plus mal pour avoir apporté du liquide avec lui. Nous ne sommes pas des gens de la haute. Nous sommes de damnés Tommies, tu entends, mauvais Irlandais, et… à votre bonne santé!

Nous chassâmes toute la matinée et nous tuâmes deux chiens errants, quatre perroquets verts au perchoir, un vautour près du défilé où il fait chaud, un serpent volant, une tortue de terre, et huit corbeaux.

Le gibier abondait.

Ensuite on s'installa pour le goûter,—bœuf et boule de son, comme disait Mulvaney,—au bord de la rivière, non sans tirer à la cible sur les crocodiles, tout en coupant notre viande avec le seul couteau de poche que nous possédions à nous trois.

Puis, on but toute la bière. On jeta les bouteilles à l'eau et on tira dessus.

Cela fait, on desserra sa ceinture. On s'allongea sur le sable chaud et on fuma.

Nous étions trop paresseux pour recommencer à chasser.

Ortheris poussa un gros soupir.

Il était étendu sur le ventre, la tête entre les poings.

Alors, il se mit tranquillement à envoyer des jurons vers le ciel bleu.

—Qu'est-ce que ça veut dire? dit Mulvaney. Est-ce que nous n'avons pas assez bu?

—Je rêvais à Tottenham Court Road, et à une particulière qui demeure là. A quoi ça mène-t-il d'être soldat?

—Ortheris, mon fils, se hâta de dire Mulvaney, il est plus que probable que la bière t'a fait mal; je suis comme ça quand mon foie commence à se rouiller.

Ortheris, au lieu de relever l'interruption, continua lentement:

—Je suis un Tommy, un sacré Tommy, à huit *annas* par jour, un voleur de Tommy, avec un numéro au lieu d'un nom convenable. A quoi suis-je bon? Si j'étais resté là-bas, j'aurais pu épouser cette particulière, et je tiendrais une petite boutique à Hammersmith High: «Ortheris, naturaliste», avec un renard empaillé, comme celui qu'on voit dans la vitrine des Laiteries d'Aylesbury, une petite boîte d'yeux de verre bleus et jaunes et une petite femme pour crier: «Voyez magasin!» chaque fois que la sonnette se ferait entendre. Tandis qu'aujourd'hui je suis tout simplement un Tommy, un sacré Tommy abandonné par Dieu et débordant de bière. «Reposez... armes! Garde à vos! Repos! Garde à vos!... L'arme sur l'épaule gauche... gauche! Pas de route... Marche! Halte!... Front! Reposez... armes! Garde à vos! Char... gez!» Et voilà comment je finirai.

Les commandements qu'il débitait étaient ceux du service pour les funérailles.

—En voilà assez! cria Mulvaney. Quand tu auras tiré à blanc aussi souvent que je l'ai fait, sur la tombe d'un homme qui valait mieux que toi, tu n'auras plus l'idée de tourner ces commandements en ridicule. C'est pire que de siffler la *Marche des morts* à la caserne. C'est que tu es plein comme une bourrique et que le temps est frais, et voilà tout! voilà tout! J'en ai honte pour toi: tu ne vaux pas mieux qu'un païen, avec tes parties de chasse et tes yeux de verre. Ne vas-tu pas bientôt te taire?

Que pouvais-je faire? Pouvais-je dire à Ortheris quelque chose qu'il ignorât sur les côtés agréables de sa vie? Je n'étais ni aumônier, ni lieutenant; et Ortheris avait le droit de dire ce qu'il pensait.

—Laissez-le continuer, Mulvaney, dis-je. C'est la bière.

—Non, dit Mulvaney, ce n'est pas la bière; je sais ce qui va arriver. Il a passé par là plus d'une fois, le petit, et c'est fâcheux, très fâcheux, car je l'aime bien.

Vraiment l'inquiétude de Mulvaney me paraissait déplacée; mais je savais qu'il avait pour Ortheris des sentiments presque paternels.

—Laisse-moi parler, laisse-moi parler, dit Ortheris d'un air distrait. Est-ce que tu peux faire taire un perroquet quand il fait très chaud et que les barreaux de sa cage brûlent ses pauvres petites pattes rouges, dis, Mulvaney?

—Des pattes rouges? Vas-tu me dire que tu as des pattes rouges dans tes godillots, espèce d'âne?

Et Mulvaney concentra ses forces pour lancer une terrible injure:

—Maîtresse d'école! Des pattes rouges? Combien a-t-il fallu de bouteilles de bière Bass avec l'étiquette, pour faire déraisonner ce pauvre enfant?

—Ça n'est pas de la Bass, dit Ortheris, c'est une sorte de bière encore plus amère... C'est le mal du pays.

—Vous l'entendez! Et dire qu'il n'a pas quatre mois à attendre pour retourner au pays sur le *Sérapis*.

—Je m'en moque, ça m'est égal. Est-ce que tu sais si je n'ai pas peur de mourir avant d'avoir obtenu mes papiers?

Et il recommença, d'une voix monotone, les commandements du service des funérailles.

Je n'avais jamais vu jusqu'alors cet aspect du caractère d'Ortheris, mais il était évident que Mulvaney, lui, le connaissait, et qu'il prenait cela très au sérieux.

Pendant qu'Ortheris bavardait, sa tête posée sur son bras, Mulvaney me dit à voix basse:

—Ça le prend toujours quand il a été trop malmené par les moutards dont on fait des sergents aujourd'hui. Ça, et le désœuvrement. Je ne sais que faire, je n'y comprends rien.

—Bah! cela importe peu, il n'y a qu'à le laisser s'égosiller.

Ortheris se mit à chanter une parodie du *Régiment de l'Écouvillon*, pleine de charmantes allusions à la bataille, au carnage, à la mort soudaine.

Tout en chantant, il regardait de l'autre côté de la rivière, avec une expression de physionomie que je ne lui connaissais pas.

Mulvaney me poussa le coude pour solliciter mon attention.

—Vous trouvez que cela importe peu! Cela importe beaucoup, au contraire. C'est une espèce de crise qui le prend. Elle le tiendra toute la nuit, et, au beau milieu de la nuit, il se lèvera et ira au râtelier chercher ses armes et ses effets.

«Puis, il viendra me trouver, pour me dire:

«—Je pars pour Bombay. Tu répondras pour moi à l'appel du matin.

«Alors, nous nous battrons tous les deux; ça nous est déjà arrivé, lui voulant s'en aller, et moi le retenir, et l'on nous punira l'un et l'autre pour désordre dans la caserne.

«En pareil cas, je le cravache à coups de ceinturon, je lui casse la tête, je lui parle, mais tout cela est inutile quand sa crise le prend.

«Il est aussi doux qu'un enfant quand il a son bon sens.

«Mais je sais bien ce qui va se passer cette nuit à la caserne. Dieu veuille qu'il ne s'échappe pas avant que j'aie pu me lever pour l'assommer. Voilà à quoi je pense, nuit et jour.»

La chose se présentait sous un aspect assez désagréable et qui expliquait amplement l'inquiétude de Mulvaney. Il me sembla qu'il essayait de dissiper la crise par de bonnes paroles, car il cria dans la direction de la berge, où le jeune homme était étendu:

—Écoute-moi, à présent, l'homme aux pattes rouges et aux yeux de verre. Est-ce que tu as jamais traversé l'Iraouaddy à la nage derrière moi, comme un bon gars, ou bien est-ce que tu te tenais caché sous un lit, comme tu as fait à Ahmed Kheyl?

C'était à la fois une grossière insulte et un impudent mensonge. Mulvaney espérait l'amener ainsi à se battre.

Mais Ortheris paraissait enfermé dans une sorte de sommeil hypnotique.

Il répondit avec lenteur, sans laisser percer la moindre irritation, de la même voix cadencée avec laquelle il avait débité les commandements du service funéraire:

—J'ai traversé l'Iraouaddy à la nage, pendant la nuit, comme *tu le sais*, pour prendre la ville de Lungtungpen, tout nu et sans peur. Où j'étais à Ahmed Kheyl, tu le sais aussi, et il y a, en outre, quatre maudits Pathans qui le savent. Mais alors il y avait quelque chose à faire, et je ne pensais pas à mourir.

«Maintenant j'ai envie de revoir le pays, de revoir le pays. Ça n'est pas ma mère qui me manque, puisque j'ai été élevé par un oncle, mais j'ai envie de revoir Londres, d'en entendre les bruits, d'en voir les paysages, d'en flairer les mauvaises odeurs; il me faut les pelures d'orange, et l'asphalte, et les rangées de becs de gaz sur le pont de Vauxhall. Il me faut le chemin de fer qui mène à Box-Hill, avec ma connaissance sur les genoux et une pipe en terre neuve entre les dents, ça et les lumières du Strand, où vous connaissez tout le monde, où le flic qui vous ramasse est un vieil ami qui vous a déjà ramassé dans le temps où vous n'étiez qu'un méchant moutard vagabondant entre le Temple et les Arches sombres.

«Plus de ces maudites factions à monter, plus de ce maudit astiquage, plus de khaki. Être son propre maître, avec la liberté d'emmener sa particulière avec soi lorsque les sauveteurs s'exercent le dimanche à repêcher des cadavres de noyés dans la Serpentine.

«Et j'ai quitté tout ça pour servir la Veuve[44] dans les pays lointains, où l'on manque de femmes, où l'on ne trouve rien qui mérite d'être bu, où il n'y a rien à voir, rien à faire, rien à dire, rien à tenter, rien à penser.

[44] La reine Victoria.

«Le Seigneur t'aime bien, Stanley Ortheris, mais tu es bien le plus grand imbécile qu'il y ait dans tout le régiment, y compris Mulvaney.

«La Veuve reste au pays avec une couronne d'or sur la tête, et te voilà, toi, Stanley Ortheris, la propriété de la Veuve, pauvre idiot!»

La voix s'éleva quand il fut à la fin de sa tirade et il conclut par un sextuple juron en anglais populacier.

Mulvaney ne dit rien, mais il me regarda, comme s'il espérait que je pourrais calmer l'esprit troublé du pauvre Ortheris.

Je me rappelai avoir vu autrefois, à Rawal-Pindi, un homme que la boisson avait presque rendu fou furieux, et qu'on rendit à la raison en ayant l'air de le traiter comme un imbécile.

Je me dis que nous arriverions peut-être à calmer Ortheris par ce procédé, bien qu'il ne fût pas ivre du tout.

Aussi commençai-je:

—A quoi ça vous avance-t-il de bougonner et de déblatérer contre la Veuve?

—Je n'ai pas fait ça, dit Ortheris. Sur ma parole, je n'ai pas dit un mot contre elle, et je n'en dirai pas un seul, quand même je serais sur le point de déserter.

Ce mot m'ouvrit la voie.

—Eh bien, vous y avez songé en tout cas. A quoi bon jacasser et faire des embarras? Est-ce que vous vous échapperiez, si vous en trouviez l'occasion?

—Essayez un peu, dit Ortheris, en se redressant aussi vivement que s'il eût été piqué.

Mulvaney se leva avec la même promptitude.

—Qu'est-ce que vous allez faire? dit-il.

—Aider Ortheris à gagner Bombay ou Karachi, à son choix. Vous n'aurez qu'à dire qu'il vous a quitté avant le goûter, et qu'il a laissé son fusil sur la berge.

—Raconter ça, moi! dit lentement Mulvaney. Très bien. Si Ortheris a l'intention de déserter, s'il déserte maintenant, et si vous, monsieur, qui avez été un ami pour moi et pour lui, vous voulez l'y aider, moi, Térence Mulvaney, sur ma parole, que j'ai toujours tenue, je vous jure de faire mon rapport comme cela. Mais...

Alors il se dirigea vers Ortheris et agita devant la figure de celui-ci la crosse de son fusil de chasse.

—Tu auras grand besoin de tes poings, Stanley Ortheris, si jamais tu te retrouves sur mon chemin.

—Ça m'est égal, dit Ortheris, j'en ai assez de cette vie de chien. Que j'aie seulement une occasion! Ne te joue pas de moi. Laisse-moi partir.

—Déshabillez-vous, dis-je, et changez de vêtements avec moi; ensuite je vous dirai ce que vous avez à faire.

J'espérais que l'absurdité de cette proposition arrêterait Ortheris, mais il avait ôté ses bottes d'ordonnance et sa vareuse avant même que j'eusse enlevé mon faux-col.

Mulvaney me saisit par le bras.

—Sa crise le tient, il est en pleine crise. Sur mon honneur, sur mon âme, nous allons nous rendre complices d'une simple désertion, de vingt-huit jours, comme on dit, monsieur, ou bien de cinquante-six. Mais quelle honte! quelle honte affreuse pour lui et pour moi!

Je n'avais jamais vu Mulvaney aussi ému.

Mais Ortheris était parfaitement calme; dès qu'il eut changé de vêtements avec moi, et que je fus équipé en simple soldat d'infanterie, il me dit:

—Eh bien, allons-y! Et après? Est-ce pour tout de bon? Comment sortir de cet enfer?

Je lui dis que s'il voulait attendre deux ou trois heures au bord de la rivière, je gagnerais la station à cheval et reviendrais avec cent roupies.

Avec cette somme en poche, il se rendrait à pied à la gare secondaire la plus voisine, à environ cinq milles, et prendrait un billet de première classe pour Karachi.

Comme on savait qu'il était sans argent au moment de son départ pour la chasse, les autorités de son régiment ne se hâteraient pas de télégraphier le jour même aux ports de mer; on le chercherait tout d'abord dans les villages indigènes situés sur la rivière.

En second lieu, on ne songerait pas à chercher un déserteur dans une voiture de première classe.

A Karachi, il achèterait un complet blanc et s'embarquerait, s'il le pouvait, sur un cargo.

Il m'interrompit.

Si je lui donnais le moyen de gagner Karachi, il se chargerait du reste.

Je lui ordonnai alors de m'attendre jusqu'à la nuit, à l'endroit même où il se trouvait, pour que je pusse rentrer à la Station sans que mon costume fût remarqué.

Dieu, dans sa sagesse, a fait le cœur du soldat anglais, qui est souvent une brute mal léchée, aussi tendre que le cœur d'un petit enfant, pour qu'il puisse croire en ses officiers et les suivre jusque dans les endroits où il ne fait pas bon, dans les endroits où ça chauffe.

Il ne montre pas le même empressement à croire en un civil; mais s'il croit en vous, sa confiance est aveugle, comme celle d'un chien.

J'ai été honoré de l'amitié du simple soldat Ortheris, à diverses reprises, pendant plus de trois ans, et nous nous sommes traités en égaux. C'est pourquoi il était convaincu que tout ce que je lui disais était vrai et que je ne parlais pas en l'air.

Mulvaney et moi, nous le laissâmes couché dans les hautes herbes de la rive, et nous nous éloignâmes, sans sortir de ces herbes, jusqu'à ce que j'eusse rejoint mon cheval.

La chemise me grattait horriblement.

Nous attendîmes plus de deux heures que l'obscurité se fît et me permît de partir à cheval.

Nous parlions d'Ortheris à voix basse, et nous écoutions de toutes nos oreilles pour saisir le moindre bruit venant de l'endroit où nous l'avions laissé. Mais nous n'entendîmes rien que le murmure du vent dans les touffes d'herbe.

—Je lui ai cassé la tête plus d'une fois, disait Mulvaney d'un air grave. Je l'ai à moitié tué à coups de ceinturon, et je n'arrive pas à chasser ces crises de sa faible cervelle. Non! Ce n'est pas une brute, car il est raisonnable de sa nature.

Qu'est-ce donc alors? Est-ce sa race qui ne vaut rien? Est-ce parce qu'il n'a jamais reçu d'éducation? Vous qui savez tant de choses, répondez-moi donc?

Mais je ne trouvai rien à répondre.

Je me demandais si Ortheris tiendrait bon jusqu'au bout, sur la berge, et s'il ne me faudrait pas l'aider à déserter, comme je lui en avais donné ma parole.

Dès que la nuit fut venue et que, le cœur un peu gros, j'eus commencé à seller mon cheval, j'entendis venir du côté de la rivière des appels sauvages.

Les démons avaient abandonné le soldat Ortheris, matricule 22639, de la compagnie B.

La solitude, l'obscurité, l'attente, les avaient chassés, ainsi que je l'avais espéré.

Nous accourûmes et nous le trouvâmes en train de se rouler furieusement sur l'herbe, ayant dépouillé ses vêtements, c'est-à-dire les miens.

Il nous appelait comme un fou.

Lorsque nous arrivâmes près de lui, il était couvert de sueur et tremblait comme un cheval effarouché.

Nous eûmes beaucoup de peine à le calmer.

Il se plaignait d'être en tenue de civil et voulait se défaire de mes vêtements en les arrachant.

Je lui enjoignis de se déshabiller, et nous fîmes aussi rapidement que possible un nouvel échange d'habits.

Le rude frottement de sa chemise de grosse toile et le grincement de ses bottes parurent le rappeler à lui-même.

Il mit ses mains devant ses yeux et dit:

—Qu'est-il arrivé? Je ne suis pas fou, je n'ai pas attrapé de coup de soleil; et pourtant je sais que je suis parti... que j'ai dit... que je suis parti... que j'ai dit... que j'ai fait... Qu'est-ce donc que j'ai fait?...

—Ce que tu as fait? dit Mulvaney. Tu t'es déshonoré. Mais ça ne fait rien. Tu as déshonoré la compagnie B, tu m'as déshonoré, *moi*. Moi qui t'ai appris à marcher droit, comme un homme, alors que tu n'étais qu'un sale petit conscrit à l'échine de poisson, un petit pleurard, tout comme, en ce moment, Stanley Ortheris.

Ortheris garda le silence un instant.

Puis il déboucla son ceinturon, qu'alourdissaient les insignes d'une demi-douzaine d'autres régiments qui avaient fait campagne avec le sien. Il le tendit à Mulvaney.

—Je suis trop petit pour te moudre, Mulvaney, dit-il, et tu m'as déjà frappé, mais tu peux prendre ça si tu veux pour me couper en deux.

Mulvaney se tourna vers moi:

—Permettez-moi de lui parler, monsieur.

Je les quittai, et en rentrant chez moi, je fis maintes réflexions sur Ortheris en particulier, et, en général, sur mon ami le simple soldat Thomas Atkins, pour qui j'ai beaucoup d'affection.

Mais je ne pus arriver à aucune conclusion.

L'HISTOIRE DE MUHAMMAD-DIN

Quel est l'homme heureux? C'est celui qui voit chez lui, dans sa maison à lui, de petits enfants tout barbouillés de poussière, roulant, tombant, pleurant.

(MUNICHANDRA.)

La balle de polo était une vieille balle tout écorchée, entaillée, tachée. Elle était posée sur la cheminée, parmi les tuyaux de papier que nettoyait pour moi Imam-Din le *khitmatgar*.

—Le Fils du Ciel tient-il à cette balle? dit Imam-Din d'un ton respectueux.

Non, le Fils du Ciel n'y tenait pas d'une manière particulière. Mais quel usage un khitmatgar pouvait-il faire d'une balle de polo?

—Si Votre Honneur le permettait... j'ai un petit enfant. Il a vu cette balle, et il a envie de jouer avec. Ce n'est pas pour moi que je la voudrais.

Jamais il ne serait venu à l'idée de qui que ce fût, que le vieil Imam, homme d'un port imposant, eût envie de s'amuser avec une balle de polo.

Il emporta cette vieillerie cabossée dans la véranda où aussitôt éclata une tempête de cris joyeux, où se fit entendre un va-et-vient de petits pieds, ainsi que le bruit sourd de la balle roulant sur le sol.

Il était évident que le petit bonhomme avait attendu, au dehors, qu'on le mît en possession de son trésor.

Mais comment avait-il fait pour voir la balle de polo?

Le lendemain, étant revenu du bureau une demi-heure plus tôt que d'ordinaire, j'aperçus une petite créature dans la salle à manger, un bébé mignon, grassouillet, vêtu d'une chemise grotesquement courte, car elle ne descendait guère que jusqu'à son ventre rebondi.

Il errait autour de la pièce, le pouce dans la bouche, en se murmurant à lui-même et en faisant l'inventaire des tableaux.

Sans aucun doute, c'était le petit enfant.

Certes, il n'avait rien à faire dans ma chambre, mais il était si absorbé par ses découvertes qu'il ne m'entendit point passer le seuil.

J'entrai brusquement dans la pièce, et son saisissement fut tel qu'il faillit avoir une attaque de nerfs.

Il s'assit par terre, l'haleine coupée. Ses yeux s'ouvrirent tout grands et sa bouche en fit autant.

Je devinai ce qui allait immanquablement arriver et je m'enfuis, poursuivi par un long cri sec qui parvint jusqu'à l'office bien plus rapidement que n'y serait jamais arrivé un de mes ordres.

Dix secondes ne s'étaient pas écoulées, qu'Imam-Din était à la salle à manger.

Alors j'entendis des sanglots désespérés, et je retrouvai Imam-Din en train d'admonester le petit coupable, qui se faisait un mouchoir de presque toute sa chemise.

—Ce petit, dit Imam-Din d'un ton de juge, est un polisson, un gros polisson, et sa conduite mériterait la prison.

Nouveaux hurlements du coupable, suivis d'une longue tirade d'excuses que m'adresse Imam-Din.

—Dites au bébé que le sahib n'est pas fâché, répondis-je, et emmenez-le.

Imam-Din transmit mon pardon au coupable qui, maintenant, avait ramené toute sa chemise autour de son cou, à la façon d'une corde, et le hurlement s'atténua en un sanglot.

Tous deux gagnèrent la porte.

—Il se nomme Muhammad-Din, dit Imam-Din comme si le nom du coupable était un grief de plus; c'est un polisson.

Délivré de tout danger imminent, Muhammad-Din se tourna vers moi, entre les bras de son père, et dit gravement:

—T'est vrai, tahib, te ze m'appelle Muhammad-Din, mais ze suis pas un polisson, ze suis un homme.

C'est de ce jour que datent mes relations avec Muhammad-Din.

Il ne revint plus dans la salle à manger, mais sur le terrain neutre du jardin, nous échangions des saluts avec beaucoup de gravité, bien que la conversation se réduisît à deux formules: «Bonjour, *tahib*», d'une part et: «Bonjour, Muhammad-Din», de l'autre.

Chaque jour, à mon retour du bureau, la petite chemise blanche et le petit corps bouffi ne manquaient guère de surgir de l'ombre du treillage couvert de plantes grimpantes où ils s'étaient tapis: et, chaque jour, j'arrêtais mon cheval à cet endroit, pour que mon salut ne se perdît pas dans l'espace ou ne fût pas prononcé d'un ton trop cavalier.

Muhammad-Din n'avait jamais de compagnon.

Il passait son temps à trottiner dans la villa, entrant dans les fourrés de ricins et en sortant, pour de mystérieux travaux.

Un jour, je tombai par hasard sur un ouvrage qu'il avait exécuté tout au fond du jardin.

Il avait enterré à moitié la balle de polo et piqué en cercle, tout autour, six fleurs de souci fanées. Autour de ce cercle, il en avait tracé un autre, rudimentaire, avec des morceaux de briques et des débris de porcelaine alternés; le tout était clos d'une petite digue de terre.

Le *bhistie*[45] assis sur la margelle du puits, fit un plaidoyer en faveur du petit architecte, en disant que ce n'était là qu'un amusement d'enfant et que cela ne gâtait guère l'aspect de mon jardin.

[45] Porteur d'eau.

Dieu m'est témoin que je n'eus, ni à ce moment ni plus tard, l'idée de toucher au travail de l'enfant; mais ce soir-là, au cours d'une promenade dans le jardin, je me dirigeai de ce côté, sans le savoir, et, avant même que je m'en fusse aperçu, mon pied avait éparpillé les soucis, la digue de terre, et les fragments de soucoupes dans un pêle-mêle irréparable.

Le lendemain, je trouvai Muhammad-Din pleurant sans bruit, tout seul, sur le ravage que j'avais fait.

Quelqu'un avait eu la cruauté de lui dire que le sahib avait été très fâché de voir abîmer son jardin, et qu'il avait démoli tout l'ouvrage en lâchant de gros mots.

Muhammad-Din passa une bonne heure à effacer toute trace de sa digue, à faire disparaître les débris de porcelaine, et ce fut d'une figure toute larmoyante, toute contrariée, qu'il vint me dire: «Bonjour, *tahib*», quand je revins du bureau.

Une enquête sommaire eut ce résultat: Imam-Din fut chargé d'informer Muhammad-Din qu'il lui était permis, en vertu d'une faveur toute particulière de ma part, de faire tout ce qu'il voudrait dans le jardin.

Cela remonta le cœur du petit, qui se remit aussitôt à tracer sur le sol le plan d'un édifice qui devait éclipser le grand ouvrage de la balle de polo et des fleurs de souci.

Pendant quelques mois, cette drôle de petite créature potelée circula dans son petit domaine parmi les fourrés de ricins et dans le sable, s'occupant sans relâche à construire des palais magnifiques avec des fleurs fanées, tombées de leur tige, avec des galets polis par l'eau, des bouts de verre cassé, et des plumes arrachées, je crois, à mes poules, toujours tout seul, toujours se marmottant des histoires.

Un jour, une coquille marine aux bariolages de couleurs vives tomba comme par hasard près de son dernier édifice.

Je comptais bien que Muhammad-Din ferait à cette occasion quelque chose de splendide. Je ne fus pas déçu.

Il passa près d'une heure à méditer, et les histoires qu'il se racontait finirent par un chant joyeux.

Puis, il se remit à tracer un plan sur le sable.

Ce palais-là serait certainement un palais mirifique, car il avait deux mètres de long sur un de large. Mais il ne fut point terminé.

Le lendemain, pas de Muhammad-Din au débouché de l'allée des voitures, pas de «Bonjour, tahib», pour me souhaiter la bienvenue.

Je m'étais accoutumé à ce bonjour et me sentis inquiet.

Le lendemain, Imam-Din me dit que l'enfant avait un peu de fièvre et qu'il fallait de la quinine; je lui fournis la dose et fis venir un docteur anglais.

—Ça n'a pas d'étoffe, ces marmots, dit le docteur en quittant le logement d'Imam-Din.

Une semaine plus tard, je fis une rencontre qu'à tout prix j'eusse voulu éviter.

J'aperçus Imam-Din sur la route qui mène au cimetière musulman. Il était accompagné d'un ami et portait dans ses bras tout ce qui restait du petit Muhammad-Din, enveloppé d'un linceul.

SUR LA FOI D'UNE RESSEMBLANCE

Si votre miroir est cassé, regardez-vous dans de l'eau tranquille, mais prenez garde d'y tomber.

(PROVERBE HINDOU.)

A défaut d'une affection payée de retour, une des choses les plus avantageuses qu'un jeune homme puisse porter avec lui au début de sa carrière, c'est une affection sans espoir.

Cela lui permet de se sentir un homme important, affairé, blasé, cynique; et dès qu'il se sent le foie pris, dès qu'il souffre du manque d'exercice, il peut rêver tristement à son amour perdu et goûter un très grand bonheur dans un état d'âme tendre et crépusculaire.

L'amourette de Hannasyde a été pour lui un bienfait d'en haut.

Elle datait de quatre ans et, depuis bien longtemps, la jeune personne n'y songeait plus.

Elle s'était mariée.

Elle avait ses nouveaux soucis, en bon nombre.

Dans les commencements, elle avait dit à Hannasyde que «bien qu'elle ne pût jamais être pour lui qu'une sœur, elle prendrait le plus grand intérêt à son bonheur futur».

Ce langage, d'une nouveauté si frappante, d'une si grande originalité, fournit matière, pendant plus de deux ans, aux méditations de Hannasyde, et sa vanité se chargea d'occuper les vingt-quatre mois qui suivirent.

Hannasyde était un tout autre type que Phil Garron[46], mais il n'en avait pas moins plusieurs traits communs avec ce personnage beaucoup trop veinard.

[46] Voir la nouvelle intitulée: *Unie à un Incroyant*, dans les *Simples Contes des Collines*.

Il couva son amour sans espoir, comme on soigne une pipe bien culottée, afin d'ajouter à son bien-être, et cela lui fit passer heureusement une saison à Simla.

Hannasyde n'était point aimable. Il avait je ne sais quoi de cru dans ses manières; et la brusquerie avec laquelle il aidait une dame à se mettre en selle, n'était guère propre à attirer vers lui le beau sexe, quand bien même il en eût recherché les faveurs; mais il n'y songeait point.

La blessure qu'il avait au cœur était encore à vif.

Ensuite il eut des ennuis.

Tous ceux qui vont à Simla connaissent la descente qui va du télégraphe aux bureaux des travaux publics.

Hannasyde flânait un matin sur la hauteur, entre deux visites, quand un pousse-pousse, passa à toute vitesse, et dans ce pousse-pousse se trouvait une jeune fille qui était le portrait vivant, très vivant, de celle qui l'avait rendu si agréablement malheureux.

Hannasyde s'appuya aux barrières, la respiration haletante.

Il voulut d'abord rattraper le véhicule, mais c'était impossible.

Aussi s'en alla-t-il avec des battements de sang dans les tempes.

Pour bien des raisons, il était impossible que la femme aperçue dans le pousse-pousse fût la jeune fille qu'il avait connue.

Ainsi qu'il l'apprit plus tard, c'était la femme d'un monsieur de Dindigul ou de Coimbatore, ou de je ne sais quel autre endroit perdu; elle était venue à Simla, tout au début de la saison, pour soigner sa santé. A la fin de la saison, elle retournerait à Dindigul, ou ailleurs, et selon toute probabilité, elle ne reviendrait jamais à Simla, son séjour de montagne étant plutôt Ootacamund.

Ce soir-là, Hannasyde, que rendait bourru et sauvage ce réveil de ses sentiments d'autrefois, s'accorda une heure pour délibérer en lui-même.

Et voici à quel parti il s'arrêta: c'est à vous de décider jusqu'à quel point la sincérité de son ancien amour, et jusqu'à quel point une envie fort naturelle de se déplacer et de s'amuser contribuèrent à sa décision.

Selon toutes vraisemblances, jamais mistress Landys-Haggert ne se retrouverait sur son chemin. Elle ressemblait extraordinairement à la jeune fille qui «prenait le plus grand intérêt, etc.» Voir la formule ci-dessus.

Tout bien pesé, il serait agréable de faire la connaissance de mistress Landys-Haggert, et de se figurer, pendant un temps très court, oh! très court! qu'il se retrouvait avec Alice Chisane.

Chacun a sa dose de folie plus ou moins forte, sur un point déterminé.

La monomanie spéciale de Hannasyde était son ancien amour, Alice Chisane.

Il fit ses plans pour obtenir d'être présenté à mistress Landys-Haggert, et la présentation marcha bien.

Il s'arrangea aussi pour voir cette dame le plus souvent possible.

Quand un homme désire sérieusement rencontrer quelqu'un, on ne saurait croire combien Simla offre de facilités pour cela.

Il y a les *garden-parties*, les parties de tennis, les déjeuners à la campagne, les lunchs à Annandale, les concours de tir, les dîners et les bals, sans parler des promenades à cheval ou à pied, que l'on arrange en particulier.

Hannasyde était parti avec l'intention de rechercher une ressemblance, et il finit par aller beaucoup plus loin.

Il voulait être illusionné, il entendait être illusionné, et il s'illusionna à fond.

La dame n'avait pas seulement les traits, la tournure d'Alice. Elle avait aussi sa voix, même quand elle parlait à mi-voix.

Elle employait les mêmes expressions, et ces petites manières que toute femme possède, dans la démarche, dans les gestes, étaient absolument identiques.

Même port de tête, même expression de fatigue dans les yeux après une longue marche; même façon de se pencher, de se contourner sur la selle pour retenir un cheval qui tire sur la bride; et même, chose étonnante entre toutes, un jour que mistress Landys-Haggert fredonnait toute seule dans une pièce voisine, pendant que Hannasyde l'attendait pour une promenade à cheval, elle chanta note pour note, avec le même trémolo guttural au second vers: *Pauvre créature errante!* absolument comme Alice Chisane le lui avait fredonné dans le demi-jour d'un salon d'Angleterre.

Quant à la femme réelle,—quant à l'âme,—il n'y avait pas l'ombre d'une ressemblance: mistress Landys-Haggert et Alice Chisane sortaient de moules différents.

Mais Hannasyde ne désirait savoir, et voir, et considérer qu'une chose: cette troublante, cette affolante ressemblance du visage, de la voix, des manières.

Il avait une grande envie de se tromper lui-même sur ce point, et il y réussit parfaitement.

Un dévouement qui se montre, qui s'étale, est toujours agréable à n'importe quelle femme, quel que soit l'homme qui le lui témoigne. Mais mistress Landys-Haggert, étant une mondaine, ne comprenait rien à l'admiration de Hannasyde.

Il ne se dérobait à aucune corvée, lui ordinairement égoïste, pour satisfaire, pour prévenir même ses désirs, quand c'était possible.

Tout ce qu'elle lui disait de faire était pour lui une loi.

Et il n'y avait pas moyen d'en douter, il aimait à être en sa compagnie, tant qu'elle causait avec lui et maintenait la conversation sur le terrain des banalités.

Mais quand elle se hasardait à exprimer sa manière personnelle de voir, à dire ses ennuis, à rendre ces petites nuances sociales qui sont le condiment de la vie à Simla, Hannasyde n'était ni charmé, ni intéressé.

Il ne tenait pas à savoir quoi que ce fût de mistress Landys-Haggert, ni ce qu'elle avait été jadis;—elle avait presque fait le tour du monde et causait fort agréablement. Ce qu'il voulait, c'était avoir l'image d'Alice Chisane sous les yeux, et sa voix dans les oreilles. En dehors de cela, tout ce qui lui rappelait une autre personnalité l'agaçait, et il ne le dissimulait pas.

Un soir, devant le nouvel hôtel des postes, mistress Landys-Haggert le rencontra, et lui déclara brièvement, sans ambages, sa façon de penser.

—Monsieur Hannasyde, lui dit-elle, aurez-vous l'amabilité de me dire pourquoi vous vous êtes nommé vous-même mon *cavalier servant*? Je ne le comprends pas, mais je suis parfaitement sûre, de toute façon, que vous ne vous souciez pas plus *de moi* que d'un fétu.

Ceci paraît venir à l'appui de la théorie d'après laquelle aucun homme n'est capable de mentir à une femme, en actes ou en paroles, sans qu'elle le découvre.

Hannasyde fut pris au dépourvu. Sa parade n'était jamais bien efficace, parce qu'il pensait toujours à lui-même, et il bredouilla, avant de s'être rendu compte de ce qu'il disait, cette réponse peu opportune:

—Et je ne m'en soucie guère non plus.

La singularité de cette question et de cette réponse firent rire mistress Landys-Haggert.

Alors tout se découvrit, et à la fin de la lumineuse explication que donna Hannasyde, mistress Haggert dit, d'un ton où perçait une légère raillerie:

—Alors, je joue le rôle du mannequin que vous habillez avec les haillons de votre amour en lambeaux, n'est-ce pas?

Hannasyde ne voyait guère ce qu'il avait à répondre. Il s'en tira par une phrase générale et un vague éloge d'Alice Chisane, ce qui n'était pas très satisfaisant.

Or, il faut déclarer ici, d'une manière catégorique, que mistress Haggert n'éprouvait pas même l'ombre d'une ombre d'intérêt à l'égard de Hannasyde…

Seulement… seulement, il n'y a pas de femme qui supporte qu'on lui fasse la cour à travers une autre…, surtout à travers une divinité qui a quatre ans de moisissure.

Hannasyde ne croyait pas qu'il se fût exhibé d'une façon tant soit peu marquée. Il était heureux de trouver une âme sympathique dans les déserts de Simla.

Quand la saison finit, Hannasyde retourna à sa résidence dans le Bas-Pays, pendant que mistress Haggert rejoignait la sienne.

—C'était en quelque sorte faire la cour à un fantôme, se dit Hannasyde. Cela n'a aucune importance maintenant, et je vais me mettre au travail.

Mais il découvrit qu'il ne cessait de penser au fantôme Haggert-Chisane, et il n'arrivait point à savoir laquelle des deux, Haggert ou Chisane, entrait pour la plus grande part dans la composition du joli fantôme…

Il sut à quoi s'en tenir un mois après.

Un des traits particuliers de ce pays si particulier, c'est la façon dont un gouvernement sans cœur déplace les gens d'une extrémité de l'Empire à l'autre. Vous n'êtes jamais sûr d'être débarrassé d'un ami ou d'un ennemi avant qu'*il* ou qu'*elle* ne meure.

Il y avait une fois… mais ceci est une autre histoire.

Le ministère dont dépendait Haggert, l'avertit deux jours à l'avance qu'il devait se rendre de Dindigul à la frontière, et il partit, semant l'argent sur sa route, de Dindigul pour son nouveau poste.
En passant, il déposa mistress Haggert à Lucknow, où elle séjournerait chez quelques amis, pour prendre part à un grand bal, au Chutter Munzil[47]; elle le rejoindrait quand il aurait installé leur nouvelle demeure d'une manière un peu confortable.

[47] Le grand Palais.

Lucknow était la station de Hannasyde, et mistress Haggert y séjourna une semaine.
Hannasyde vint l'y retrouver.
Comme le train arrivait en gare, il s'aperçut qu'il avait pensé à elle pendant tout le dernier mois. Il fut aussi frappé du peu de sagesse avec laquelle il se conduisait.
Pendant cette semaine passée à Lucknow, deux bals, un nombre indéfini de promenades à cheval faites ensemble, amenèrent la crise décisive.
Hannasyde se vit enfermé dans ce cercle d'idées:

Il adorait Alice Chisane,—ou du moins il l'avait adorée,—et il admirait mistress Landys-Haggert parce qu'elle ressemblait à Alice Chisane. Mais mistress Landys-Haggert ne ressemblait pas le moins du monde à Alice Chisane, car elle était mille fois plus adorable. Or, Alice Chisane était la femme d'un autre, et mistress Landys-Haggert était également une femme mariée, bonne et honnête épouse elle aussi.

En conséquence, lui, Hannasyde, n'était qu'un…

Arrivé là, il se dit plusieurs injures, et il regretta de n'avoir pas été plus sage en commençant.

Mistress Landys-Haggert vit-elle ce qui se passait en lui? Elle seule le sait.

Il semblait s'intéresser, sans arrière-pensée, à tout ce qui la touchait, sans que sa ressemblance avec Alice Chisane y fût pour quelque chose, et il s'exprima une ou deux fois dans des termes tels que si Alice Chisane eût été encore sa fiancée, elle eût eu grand'peine à les excuser, même en tenant compte de la ressemblance.

Mais mistress Haggert ne prit point garde à ces remarques. Elle mit beaucoup de temps à rappeler à Hannasyde quel charme et quel plaisir elle lui avait fait éprouver, grâce à cette ressemblance avec le premier objet de son affection. Hannasyde gémit sur sa selle, et dit: «Oui, c'est vrai», et il s'occupa ensuite, pour elle, des préparatifs du départ pour la frontière, tout en se sentant très malheureux, très à plaindre.

Enfin, le dernier jour qu'elle devait passer à Lucknow arriva.
Hannasyde l'accompagna à la gare. Elle lui témoigna sa gratitude pour toute la bonté, pour la peine qu'il s'était donnée, et eut un sourire aussi sympathique que possible, étant donné qu'Alice Chisane était l'explication de cette complaisance.
Hannasyde s'emporta contre les coolies qui charriaient les bagages; il bouscula les gens sur le quai du départ, et il pria le ciel de faire tomber la toiture sur lui et de l'écraser.
Le train se mit lentement en marche.
Mistress Landys-Haggert vint à la portière pour lui dire adieu.
—Non, tout bien réfléchi: *au revoir*, monsieur Hannasyde. Je dois aller en Angleterre au printemps; peut-être vous rencontrerai-je à Londres?
Hannasyde lui serra la main et lui dit d'un ton où il y avait autant de sérieux que d'adoration:
—J'espère bien, grâce au ciel, ne jamais vous revoir.
Et mistress Haggert comprit.

WRESSLEY, DES AFFAIRES ÉTRANGÈRES

Je m'engageai à fond, je tirai l'épée pour celle que j'aime, celle qui maintenant m'a trompé; j'égorgeai le brigand de Tarrant Moss et je rendis la liberté à Dumeny.

Et l'on me comble de louanges et d'or, et je ne cesse de gémir sur ma perte. Car j'ai frappé pour celle qui trompa mon amour et non point pour les hommes du Moss.

(TARRANT MOSS.)

Un des nombreux fléaux de la vie qu'on mène dans ce pays-ci, c'est l'absence d'atmosphère, dans le sens où l'entendent les peintres.

Il n'y a pas de demi-teintes pour ainsi dire.

Les gens ont des couleurs nettes et crues, que rien n'adoucit, que rien ne place sur des plans différents. Ils accomplissent leur besogne, et ils en viennent à s'imaginer qu'il n'y a rien au monde que leur besogne, qu'il n'y a rien au-dessus de leur besogne et qu'ils sont les pivots sur lesquels tourne réellement l'administration.

Voici un exemple de cet état d'âme.

Un employé sang mêlé réglait des papiers dans un bureau de paie. Il me dit:

—Savez-vous ce qui arriverait si je traçais une ligne en plus ou en moins sur cette feuille?

Il ajouta, d'un air de conspirateur:

—Cela désorganiserait tout le service des paiements dans toute l'étendue du cercle de la présidence. Le croiriez-vous?...

Si les gens n'avaient pas cette illusion de l'importance énorme de leurs emplois particuliers, je suppose qu'ils s'associeraient pour se tuer. Mais leur faiblesse est assommante, surtout quand leur auditeur sait qu'il est sujet au même travers.

Le secrétariat lui-même croit bien faire en prescrivant à un fonctionnaire du pouvoir exécutif, déjà surmené, de procéder au recensement des charançons du blé dans un district de cinq mille milles carrés.

Il y avait jadis au *Foreign Office* un homme... un homme qui y avait atteint l'âge moyen, et qui, s'il faut en croire des employés que leur jeunesse rendait irrespectueux, était en mesure de réciter à rebours, en dormant, les *Traités et Concessions* d'Aitchison.

Quel parti tirait-il de ce trésor de science? C'est ce que le secrétaire seul eût pu dire. Quant à lui, naturellement, il se gardait bien d'en parler.

Il se nommait Wressley, et c'était, en ce temps-là, un mot de passe que de dire: «Wressley en sait plus sur les États de l'Inde centrale, qu'aucun homme vivant.» Si vous ne disiez pas cela, vous passiez pour un petit esprit.

De nos jours, un homme qui déclarerait connaître l'enchevêtrement des tribus, des deux côtés de la frontière, serait d'une plus grande utilité, mais au temps de Wressley l'attention était surtout dirigée vers les États de l'Inde centrale.

On les appelait des «foyers», des «facteurs». On leur donnait des noms impossibles.

Et c'est là que se faisait sentir de tout son poids le fléau de la vie anglo-indienne.

Lorsque Wressley élevait la voix et disait que tels et tels avaient succédé à tels et tels sur un trône, le Foreign Office se taisait, et les chefs de service répétaient les deux ou trois derniers mots des phrases de Wressley en y ajoutant des «oui! oui!» et ils avaient conscience d'aider «l'Empire à faire face à de graves contingences politiques».

Dans les très grosses entreprises, un ou deux hommes font la besogne, tandis que les autres restent assis près d'eux, à causer et attendre la prochaine pluie de décorations.

Wressley était, dans la «firme» du *Foreign Office*, l'homme qui travaille, et, pour le maintenir à la hauteur de sa tâche et le remonter, quand il donnait des signes de défaillance, ses supérieurs faisaient le plus grand cas de lui et disaient que c'était un rude gaillard.

Il n'avait pas besoin qu'on lui passât la main dans le dos, parce qu'il était solidement bâti; mais le peu de caresses qu'il recevait le confirmaient dans sa conviction que personne n'était aussi nécessairement, aussi impérieusement indispensable à la stabilité de l'Inde, que Wressley des Affaires Étrangères.

Il y avait d'autres hommes capables, c'était bien possible, mais, entre tous les hommes, celui qu'on connaissait, que l'on honorait, en qui l'on avait confiance, c'était Wressley des Affaires Étrangères.

Nous avions, en ce temps-là, un vice-roi qui savait exactement comment il faut s'y prendre pour calmer un gros personnage indocile, ou remonter un pauvre hère que le collier blesse, afin que l'attelage soit bien équilibré.

Il faisait sur Wressley l'impression que je viens de définir, et l'homme le plus insensible peut se laisser démonter par les éloges d'un vice-roi.

Il y avait une fois... mais ceci est une autre histoire.

Toute l'Inde connaissait le nom et l'emploi de Wressley,—ils étaient inscrits dans l'*Annuaire Thacker et Spink*,—mais qui était-il personnellement? Que faisait-il? Quels étaient ses mérites spéciaux? C'est à peine si cinquante personnes le savaient et s'en souciaient.

Sa besogne lui prenait tout son temps, et il n'avait pas de loisirs qui lui permissent de cultiver d'autres connaissances que celle des défunts chefs radjpoutes, morts avec des taches d'*Ahir*[48] sur leurs armoiries.

[48] *Ahir*, caste inférieure de l'Inde centrale et septentrionale.

Wressley aurait fait un excellent fonctionnaire du Collège Héraldique, s'il n'avait pas été employé dans le service civil du Bengale.

Un jour, en dehors de ses heures de bureau, Wressley éprouva un grand trouble. Il fut dominé, abattu et laissé à terre, respirant à peine, tout comme un petit écolier.

Sans raison, sans prudence, sans symptômes prémonitoires, il s'éprit d'une frivole jeune fille à la chevelure d'or, qui galopait sans cesse sur le Mail de Simla, montée sur un grand et indocile cheval d'Australie; elle portait une casquette de jockey, en velours bleu, enfoncée presque jusqu'aux yeux.

Elle se nommait Venner, Tillie Venner, et elle était exquise.

Elle conquit le cœur de Wressley en un temps de galop, et Wressley découvrit qu'il n'est pas bon pour l'homme de vivre seul, eût-il la moitié des documents du Foreign Office dans ses cartons.

Alors tout Simla rit, car Wressley amoureux était légèrement grotesque.

Il fit de son mieux pour inspirer à la jeune fille quelque intérêt pour lui, c'est-à-dire pour son œuvre; miss Venner, de son côté, en vraie femme qu'elle était, fit de son mieux pour avoir l'air de s'intéresser à ce qu'elle appelait, derrière le dos de l'intéressé, «des Wajahs[49] de M. Wressley», car elle avait un joli zézaiement.

[49] Rajahs.

Elle n'y entendait absolument rien, mais elle faisait semblant de comprendre.

Cette erreur a causé le mariage de plus d'un homme jusqu'à ce jour.

Néanmoins la Providence veillait sur M. Wressley.

Il fut énormément frappé de l'intelligence de miss Venner. Il en aurait été bien plus émerveillé encore, s'il avait entendu comment elle racontait, en particulier et confidentiellement, les visites qu'il lui faisait.

Il avait ses idées à lui sur la manière de faire la cour aux jeunes filles. Selon lui, il fallait qu'un homme mît avec respect, à leurs pieds, ce qu'il avait fait de mieux pendant toute sa carrière.

Ruskin, je crois, a dit cela quelque part, mais dans la vie ordinaire, quelques baisers réussissent mieux, et font gagner du temps.

Un mois environ après que miss Venner lui eût pris son cœur, et qu'il eût, en conséquence, déplorablement gâché sa besogne, il conçut la première idée de son livre sur le gouvernement indigène dans l'Inde centrale, et cela le remplit de joie.

Tel qu'il l'esquissait, c'était une grande œuvre, une étude très vaste sur un sujet très attrayant, et il fallait, pour le traiter, toutes les connaissances spéciales et laborieusement acquises par Wressley, des Affaires Étrangères. C'était un présent digne d'une impératrice.

Il annonça à miss Venner qu'il allait prendre un congé et qu'il espérait, à son retour, lui apporter un présent digne d'elle.

Attendrait-elle?

Certainement, elle attendrait.

Wressley touchait dix-sept cents roupies par mois. Elle attendrait bien un an pour cela. Sa maman l'aiderait à patienter.

Wressley prit donc un congé d'un an et, en même temps, tous les documents qu'il put réunir, ce qui représentait à peu près la charge d'un wagon de marchandises. Puis il se rendit dans l'Inde centrale, tout plein de son sujet.

Il commença son livre dans le pays dont il allait parler.

A force d'écrire des lettres officielles, il était devenu un écrivain froid, et il avait dû deviner qu'il lui fallait mettre la lumière blanche de la couleur locale sur sa palette. C'est une couleur dont l'emploi imprudent est dangereux pour les amateurs.

Dieu sait quelle peine il se donna!

Il prit ses rajahs, les analysa, retrouva leur ascendance jusque dans les brouillards du passé, et plus haut encore, sans omettre leurs reines et leurs concubines.

Il data, contre-data, fit des arbres généalogiques, les développa, compara, nota, renota, tissa, enchevêtra, fit des fiches, les classa, les reclassa, calcula, dressa des tableaux chronologiques et les refit, en travaillant dix heures par jour.

Comme il était illuminé par ce soudain et nouveau flambeau de l'amour, il fit de ces ossements desséchés de l'histoire, de ces récits poudreux de méchantes actions, une œuvre où l'on trouvait de quoi rire, de quoi pleurer, à son gré. Son cœur et son âme étaient au bout de sa plume, et ils passèrent dans ses écrits.

Il fit preuve de sentiment, de pénétration, d'humour et de style pendant deux cent trente jours et autant de nuits, et son livre était un Livre.

Il portait en lui-même, pour ainsi dire, ses vastes connaissances spéciales, mais l'âme des choses, ce qu'il y a de vraiment humain en elles, la poésie et la faculté d'expression, voilà qui était en dehors de toute connaissance spéciale.

Cependant, je n'affirmerais pas qu'il eût conscience de la faculté qui était alors en lui et qu'il n'eût pas perdu quelque peu de bonheur.

Il travaillait pour Tillie Venner, non pour lui-même. Souvent les hommes font leur œuvre la meilleure avec un bandeau sur les yeux, pour l'amour de quelqu'un d'autre.

Aussi, disons-le,—bien que cela n'ait rien à voir avec ce récit,—dans l'Inde, où tout le monde se connaît, il peut vous arriver d'observer des hommes qui sont poussés par la femme qui les mène. Elle les fait sortir du rang et les envoie occuper isolément quelque position dominante.

Dans ce cas, un homme qui a du fond, une fois lancé, continue à aller de l'avant; mais un homme de valeur ordinaire rentre dans le rang et on n'entend plus parler de lui dès que la femme cesse de s'intéresser à son succès et d'y voir un hommage rendu à sa puissance.

Wressley porta à Simla le premier exemplaire de son ouvrage, et, tout rougissant et bégayant, l'offrit à miss Venner. Elle en lut quelques lignes. Je rapporte mot à mot son appréciation:

—Oh! votre livre: il n'y est question que de ces horribles Wajahs! Je ne l'ai pas compris.

Wressley, des Affaires Étrangères, fut brisé, assommé,—je n'exagère rien,—par cette petite fille frivole.

Il ne put que dire d'une voix faible:

—Mais… mais c'est mon *magnum opus*, mon Œuvre, l'Œuvre de ma vie!

Miss Venner ne savait pas ce que signifiait *magnum opus*. Elle savait, par contre, que le capitaine Kerrington avait gagné trois courses au dernier *gymkhana*[50].

[50] Ici: réunion sportive.

Wressley n'insista pas auprès d'elle pour qu'elle l'attendît plus longtemps. Il eut assez de bon sens pour ne point le faire.

Puis la réaction se produisit, après une année de tension. Wressley retourna aux Affaires Étrangères, et à ses «wajahs», redevint un tâcheron qui compilait, paperassait dans les journaux, écrivait des rapports, et dont le travail eût été largement rémunéré avec trois cents roupies par mois.

Il s'en tint à l'appréciation de miss Venner. Cela prouve que l'inspiration de ce livre n'était que passagère et n'avait point sa source en lui-même.

Néanmoins, il n'avait nullement le droit de jeter dans un lac des montagnes cinq ballots, qu'il avait rapportés de Bombay, à grands frais, du meilleur ouvrage qui ait jamais été écrit sur l'histoire de l'Inde.

Lorsqu'il vendit son mobilier, avant de prendre sa retraite, quelques années plus tard, j'étais là, fouillant sur ses étagères; je tombai sur l'unique exemplaire qui restât du *Gouvernement indigène dans l'Inde*, l'exemplaire même dont miss Venner avait déclaré qu'elle n'y comprenait rien.

Je le lus, assis sur ses malles, tant que le jour dura, et je lui en offris le prix qu'il voulut.

Il lut quelques pages par-dessus mon épaule. Après quoi, il se dit à lui-même, tristement:

—Aujourd'hui, je me demande comment diable j'ai fait pour écrire d'aussi bonnes choses.

Puis s'adressant à moi:

—Prenez-le, gardez-le. Écrivez, sur ses origines, quelqu'une de vos histoires à un penny. Peut-être... peut-être... tout était-il combiné d'avance pour que la chose finît ainsi.

Sachant ce qu'avait été jadis Wressley, des Affaires Étrangères, cela me parut la chose la plus amère que j'aie jamais entendu dire à un homme sur son œuvre.

DE VIVE VOIX

Lors même, ô ma bien-aimée, que vous devriez mourir cette nuit, et, spectre, gémir et hanter mon seuil, jamais la Peur mortelle ne tuera l'Amour immortel. Je ne vous aimerai que davantage, si, sortant du séjour de la Mort, vous me donnez encore un moment de bonheur dans mon inexprimable souffrance.

(MAISONS HANTEES.)

Ce récit devra être expliqué par ceux qui savent comment sont faites les âmes, et pour qui les bornes du Possible n'existent plus.

J'ai vécu assez longtemps dans ce pays pour savoir qu'il vaut bien mieux ne rien savoir, et je ne puis écrire l'histoire en question que comme elle est arrivée.

Dumoise était notre chirurgien civil à Meridki, et nous l'appelions le Loir, parce que c'était un petit homme rond et endormi.

Bon médecin, il n'avait jamais de discussion avec personne, pas même avec notre sous-commissaire, qui avait les manières d'un batelier et autant de tact qu'un cheval.

Il épousa une jeune personne aussi ronde, aussi endormie que lui.

C'était une miss Hillardyce, fille de cette chiffe molle d'Hillardyce, des Berars, qui épousa, par suite d'un malentendu, la fille de son chef. Mais cela, c'est une autre histoire.

Dans l'Inde, la lune de miel dure rarement plus d'une semaine, mais rien ne s'oppose à ce qu'un couple la fasse durer un an ou deux.

C'est un pays charmant pour deux époux qui sont tout entiers l'un à autre. Ils peuvent vivre dans une solitude absolue, que rien ne vient interrompre, et c'est justement ce que firent les Dumoise.

Ces deux petits êtres se retirèrent du monde après leur mariage, et ils furent fort heureux. Naturcllement, il leur fallut donner quelques dîners de temps à autre, mais ils n'étendirent point pour cela leur cercle d'amis.

La station allait son train ordinaire, et les oubliait. C'est tout au plus si l'on disait parfois que Dumoise était le meilleur des hommes, bien qu'un peu terne.

Un chirurgien civil qui n'a jamais de disputes, est chose rare et qu'on apprécie en conséquence.

Peu de gens peuvent se donner le luxe de jouer au Robinson, en quelque lieu que ce soit, et moins qu'ailleurs dans l'Inde, où nous sommes en petit nombre et où nous dépendons beaucoup les uns des autres pour une foule de menus services.

Dumoise eut tort de s'isoler du monde pendant un an. Il reconnut son erreur quand une épidémie de fièvre typhoïde éclata dans la station, en pleine saison froide, et que sa femme fut atteinte.

C'était un petit homme timide; il perdit cinq jours avant de reconnaître que mistress Dumoise souffrait d'une maladie plus grave qu'une fièvre ordinaire, et trois autres jours se passèrent avant qu'il prît sur lui d'aller trouver mistress Shute, la femme de l'ingénieur, et de lui conter avec embarras son inquiétude.

Dans presque tous les ménages de l'Inde, on sait que les médecins sont d'un très faible secours en cas de fièvre typhoïde.

C'est entre la mort et les gardes-malades que se livre la bataille, minute par minute, degré par degré.

Mistress Shute fut sur le point de gifler Dumoise pour ce retard qu'elle qualifia de criminel, et elle partit aussitôt soigner la pauvre petite.

Nous eûmes, cet hiver-là, sept cas de fièvre typhoïde à la station, et, comme le nombre des cas mortels est ordinairement d'un sur cinq, nous étions à peu près certains de subir une perte. Mais tout le monde fit de son mieux.

Les femmes passèrent leurs nuits au chevet des femmes. Les hommes en firent autant pour soigner les célibataires atteints. Nous luttâmes pendant cinquante-six jours contre ces cas de fièvre typhoïde, et nous ramenâmes triomphalement nos gens de la vallée des Ombres. Mais alors que nous pensions que tout était fini, et que nous nous préparions à organiser un bal pour célébrer cette victoire, la petite mistress Dumoise eut une rechute.

Une semaine plus tard, elle était morte, et la station suivait son convoi.

Dumoise défaillit au bord de la tombe, et il fallut l'emporter.

Veuf, Dumoise se traîna jusque chez lui, et refusa toute consolation.

Il s'acquitta parfaitement de ses devoirs, mais nous nous rendions tous compte qu'il avait besoin d'un congé, et ses collègues du service dont il dépendait le lui dirent.

Dumoise fut très reconnaissant de ce conseil,—en ce temps-là il était reconnaissant de n'importe quoi,—et il partit en excursion à Chini.

Chini est à une vingtaine d'étapes de Simla, au cœur des montagnes, et le paysage semble fait exprès pour ceux qui ont des peines de cœur.

Vous traversez de vastes et silencieuses forêts de déodars. Vous cheminez parmi des rochers énormes et silencieux, vous franchissez d'énormes et silencieuses collines, arrondies comme des seins de femme; et le vent qui souffle à travers les hautes herbes, et la pluie qui tombe à travers les déodars, disent: «Chut! chut! chut!»

C'est pourquoi l'on expédia le petit Dumoise à Chini, pour tuer son chagrin à l'aide d'un grand appareil photographique et d'une carabine.

Il emmena aussi un vaurien de porteur, parce que cet homme avait été le serviteur préféré de sa femme. C'était un fainéant et un voleur, mais Dumoise avait en lui une confiance illimitée.

A son retour de Chini, Dumoise passa par Bagi, en traversant la Réserve forestière qui couvre un contrefort du mont Huttoo.

Certains, qui ont beaucoup voyagé, disent que l'itinéraire de Kotgarh à Bagi est un des plus beaux de la création. Il passe par de sombres et humides forêts et se termine brusquement sur des pentes dénudées et des rochers noirs.

Le *dâk-bungalow*[51] de Bagi est ouvert à tous les vents. Il est glacial.

[51] Abri pour les voyageurs, construit par les soins du gouvernement.

Peu de gens vont à Bagi. Ce fut peut-être pour cette raison que Dumoise y alla.

Il fit halte à sept heures du soir, et son porteur descendit la côte jusqu'au village pour engager des coolies en vue de l'étape du lendemain.

Le soleil était couché et les vents de la nuit commençaient à murmurer parmi les rochers.

Dumoise était accoudé sur le parapet de la véranda, attendant le retour de son porteur.

L'homme revint presque aussitôt, et d'un pas si précipité que Dumoise se figura qu'il avait dû rencontrer un ours.

Il remontait la côte de toute la vitesse de ses jambes.

Mais il n'y avait point d'ours pour expliquer son épouvante.

Il courut à la véranda et s'abattit. Le sang jaillissait de son nez et son visage était d'un gris de fer.

Alors il dit d'une voix étranglée:

—J'ai vu la Memsahib! J'ai vu la Memsahib!

—Où cela? dit Dumoise.

—Là-bas, en suivant la route qui mène au village. Elle était vêtue de bleu; elle a levé la voilette de son chapeau et m'a dit: «Ram Dass, souhaite le bonjour au Sahib, et dis-lui que nous nous retrouverons dans un mois à Nuddea.» Alors je me suis sauvé, car j'avais peur.

Que fit Dumoise? que dit-il? Je ne sais.

Ram Dass déclare qu'il ne dit rien, qu'il se promena toute la nuit sous la véranda glaciale, attendant que la Memsahib montât la côte, et tendant comme un fou les bras dans les ténèbres.

Mais il ne vint point de Memsahib, et le lendemain il rentra à Simla; toutes les heures il tourmentait de questions son porteur.

Tout ce que Ram Dass pouvait dire, c'est qu'il avait rencontré mistress Dumoise, qu'elle avait soulevé son voile, et l'avait chargé du message fidèlement rapporté à Dumoise.

Ram Dass s'en tint obstinément à cette assertion. Il ne savait où était situé Nuddea, et n'y avait point d'amis; certainement il n'irait jamais à Nuddea, quand bien même on doublerait ses gages.

Nuddea est dans le Bengale, et n'intéresse en rien un docteur qui est de service dans le Punjab. Et cette localité est à plus de douze cents milles de Meridki.

Dumoise ne fit que traverser Simla et retourna à Meridki pour reprendre son emploi des mains de celui qui l'avait remplacé pendant son excursion.

Il y avait quelques comptes de pharmacie à régler, quelques ordres du chirurgien en chef à noter, de sorte que cette rentrée en fonctions prit toute une journée.

Dans la soirée, Dumoise raconta à son remplaçant, qui était un vieil ami du temps où il était célibataire, ce qui était arrivé à Bagi, et l'autre répondit que Ram Dass eût pu tout aussi bien parler de Tuticorin[52] pendant qu'il y était.

[52] Présidence de Madras, aussi éloignée de Meridki que Nuddea.

Au même moment, un facteur du télégraphe arriva avec une dépêche de Simla, qui enjoignait à Dumoise de ne pas reprendre son service à Meridki, mais de se rendre en mission spéciale à Nuddea.

Il y avait une mauvaise épidémie de choléra à Nuddea, et le gouvernement du Bengale étant, comme toujours, à court de personnel, avait emprunté un chirurgien à celui du Punjab.

Dumoise jeta la dépêche sur la table, en disant:

—Eh bien?

L'autre médecin ne dit rien.

C'était tout ce qu'il pouvait dire.

Alors il se rappela que Dumoise avait traversé Simla en revenant de Bagi, et qu'ainsi il avait pu avoir vent de la nouvelle de son déplacement.

Il essaya d'amener la question sur ce terrain, et d'exprimer son soupçon, mais Dumoise l'arrêta par ces mots:

—Si j'avais désiré *cela*, je ne serais jamais revenu de Chini. J'y passais mon temps à chasser. Je ne demande qu'à vivre, car j'ai des choses à faire... Mais je n'aurai pas de regrets.

L'autre s'inclina et aida, dans le demi-jour, Dumoise à refaire les malles qu'il venait d'ouvrir.

Ram Dass entra, apportant une lampe.

—Où va le Sahib? demanda-t-il.

—A Nuddea, dit doucement Dumoise.

Ram Dass saisit convulsivement les genoux et les bottes de Dumoise et le conjura de ne point partir.

Ram Dass pleura et hurla si fort qu'il fallut le chasser de la pièce.

Alors, il fit un paquet de ses hardes et revint demander un certificat. Il ne voulait point aller à Nuddea pour y voir mourir son Sahib et peut-être, pour y mourir lui aussi.

Dumoise paya donc les gages de l'homme et se rendit seul à Nuddea.

L'autre docteur lui fit ses adieux, comme s'il avait parlé à un condamné à mort.

Onze jours plus tard, Dumoise avait rejoint sa Memsahib, et le gouvernement du Bengale se vit obligé d'emprunter un autre docteur pour tenir tête à l'épidémie de Nuddea.

Le premier médecin importé du Punjab est enseveli dans le *dâk-bungalow* de Chooadanga.

A CLASSER POUR S'Y REPORTER

Chassée par le sabot de la Chèvre Sauvage du Rocher où elle était posée au Soleil, la Pierre tomba dans le Lac où s'éteint la lumière du jour; c'est ainsi qu'elle tomba loin de l'éclat du Soleil, et seule.

Or, cette chute était prévue, ordonnée dès l'origine, ainsi que la Chèvre, et l'Escarpement, et le Lac; mais la Pierre sait seulement que sa vie est maudite, à mesure qu'elle s'enfonce dans les profondeurs du Lac, et seule.

O Toi qui as construit le Monde, ô Toi qui as allumé le Soleil, ô Toi qui as mis les ténèbres dans le Lac, sois juge du crime qu'a commis la Pierre qui a été précipitée par le sabot de la Chèvre, loin de l'éclat du Soleil, à mesure qu'elle s'enfonce dans le limon du Lac, en ce moment même, en ce moment même.

(EXTRAIT DES PAPIERS INEDITS DE MAC INTOSH JELLALUDIN.)

Dis, est-ce l'aube, fait-il sombre dans ton bosquet, toi vers qui j'aspire, toi qui tends vers moi? Oh, que ce soit la nuit, que ce soit...

En prononçant ces mots, il tomba par-dessus un petit chameau qui dormait dans le Séraï, où habitent les marchands de chevaux et l'élite de la canaille de l'Asie centrale; et comme il était très ivre, et que la nuit était noire, il ne put se relever qu'avec mon aide.

Ce fut ainsi que je fis connaissance avec Mac Intosh Jellaludin.

Quand un vagabond ivre chante la *Romance du Bosquet*, il doit mériter qu'on le fréquente.

Il quitta le dos du chameau et dit d'une langue un peu épaisse:

—Je... je suis un brin éméché... mais un plongeon à Loggerhead me remettra d'aplomb. A propos, avez-vous parlé à Symonds, au sujet de la jument?

Or, Loggerhead était à environ six mille milles de là, tout près de la Mésopotamie, où il est défendu de pêcher, où le braconnage est impossible. Quant à l'écurie de Symonds, elle se trouve à un demi-mille encore plus loin, de l'autre côté des paddocks.

Cela faisait un effet étrange d'entendre ces noms d'autrefois, dans une nuit de mai, parmi les chevaux et les chameaux du caravansérail du sultan.

Mais l'individu parut reprendre quelque peu ses esprits et se dégriser en même temps.

Il s'appuya contre le chameau, et montra du doigt un coin du Séraï où brillait une lampe.

—C'est là que je demeure, dit-il, et je vous serais extrêmement reconnaissant si vous vouliez m'aider à diriger de ce côté mes pieds rebelles,—car je suis encore plus soûl que d'ordinaire,—je suis extraordinairement blindé. Mais ce n'est point la tête. Mon cerveau crie avec énergie: «Comment cela va-t-il?» mais ma tête chevauche... plane au-dessus du fumier, devrais-je dire, et elle maîtrise l'accès.

Je l'aidai à se diriger à travers les rangées de chevaux à l'attache, et il se laissa aller sur le bord de la véranda qui règne sur la façade des bâtiments habités par les indigènes.

—Merci! mille fois merci! lune, et vous, petites, petites étoiles! Dire qu'un homme peut-être abominablement... C'est la faute à cette horrible liqueur. Ovide exilé n'en buvait pas de pire. Ça va mieux. C'était gelé. Hélas! je n'avais pas de glace. Bonne nuit! Je vous présenterais à ma femme, si j'étais de sang-froid... ou si c'était une femme civilisée.

Une femme indigène sortit de l'obscurité de la pièce et se mit à injurier l'homme.

Je m'éloignai.

C'était le vagabond le plus intéressant que j'eusse rencontré depuis longtemps et, par la suite, il devint mon ami. C'était un homme de haute taille, bien bâti, au teint clair, terriblement ravagé par la boisson; il semblait plus près de cinquante ans que de trente-cinq, ce qui, prétendait-il, était son âge réel.

Dans l'Inde, quand un homme se met à déchoir, et que des amis ne le renvoient point au pays dès que la chose est possible, il tombe très bas, au-dessous de tout état respectable.

Si, par-dessus le marché, il change de religion, comme le fit Mac Intosh, il est perdu sans recours.

Dans la plupart des grandes villes, les indigènes vous parleront de deux ou trois Sahibs, généralement de condition inférieure, qui se sont faits Hindous ou Mahométans, et qui vivent plus ou moins comme tels, mais il est fort rare que vous arriviez à les connaître.

Ainsi que le disait souvent Mac Intosh:

—Si je change de religion selon les besoins de mon estomac, je n'entends pas pour cela devenir le martyr des missionnaires, et je ne tiens nullement à acquérir de la notoriété.

Au début de nos relations, Mac Intosh me prévint:

—Rappelez-vous une chose. Je ne suis point un être qui sollicite la charité. Je ne demande ni votre argent, ni votre pain, ni vos vieux habits. Je suis cet animal rare: un ivrogne qui se suffit à lui-même. Si cela vous va, je fumerai avec vous, parce que le tabac des bazars, je dois l'avouer, ne convient pas à mon palais, et je vous emprunterai les livres auxquels vous ne tenez pas beaucoup. Il est plus que probable que je les vendrai pour acheter des bouteilles de ces liqueurs du pays, qui sont une marchandise exécrable. En retour, vous recevrez chez moi l'hospitalité que comporte ma demeure. Il y a un *charpoy*[53] sur lequel on peut s'asseoir à deux et il peut arriver de temps à autre qu'il y ait de quoi manger, dans les assiettes. Pour la boisson, malheureusement, vous en trouverez dans la maison à n'importe quelle heure. Dans ces conditions, vous serez toujours bien accueilli dans mon pauvre intérieur.

[53] Lit-divan.

C'est ainsi que je fus admis à pénétrer dans la demeure de Mac Intosh, avec mon bon tabac.

Mais ce fut tout.

On ne peut, malheureusement, rendre visite en plein jour à un vagabond dans le Séraï.

Des amis qui y vont pour acheter des chevaux ne comprendraient pas cela.

En conséquence, je ne pouvais voir Mac Intosh que la nuit.

Il en rit et me dit simplement:

—Vous avez parfaitement raison. Au temps où j'avais un rang un peu plus élevé que le vôtre, j'aurais fait absolument comme vous. Grands dieux! j'étais jadis (il parlait comme s'il était tombé du grade de colonel) un homme d'Oxford!

Cela m'expliqua pourquoi il avait parlé des écuries de Charley Symonds.

—Vous, dit avec lenteur Mac Intosh, vous n'avez pas eu l'avantage d'étudier à Oxford, mais à en croire les apparences extérieures, vous n'avez point une passion ardente pour les liqueurs fortes. A tout prendre, je crois que vous êtes encore le plus veinard de nous deux. Cependant, je n'en suis pas certain.

Vous êtes,—pardonnez-moi de vous dire cela, au moment même où je fume votre excellent tabac,—vous êtes d'une ignorance cruelle sur bien des choses.

Nous étions assis côte à côte sur le bord de son lit, car il n'avait pas de chaises. Nous regardions les chevaux qu'on menait boire avant la nuit, pendant que la femme indigène préparait le dîner.

Je n'étais guère disposé à me laisser protéger par un vagabond, mais provisoirement j'étais son hôte, quoiqu'il n'eût rien au monde que son habit d'alpaga très dépenaillé et des pantalons de toile d'emballage.

Il retira sa pipe de sa bouche et reprit d'un ton très sentencieux:

—Tout bien considéré, je doute que vous soyez plus heureux que moi. Je ne fais pas allusion à vos connaissances classiques extrêmement bornées, non plus qu'à votre versification tourmentée, mais à votre ignorance grossière des choses qui sont plus à la portée de votre observation. Ceci par exemple.

Et il me montra une femme qui nettoyait un samovar, tout près du puits qui se trouve au milieu du Séraï.

Elle faisait jaillir l'eau par le robinet en jets régulièrement cadencés.

—Il y a la manière de nettoyer un samovar. Si vous saviez pourquoi elle fait cette besogne de cette façon particulière, vous comprendriez ce qu'entendait ce moine espagnol, quand il disait:

Je donne une idée claire de la Trinité

En buvant de l'eau où il y a de la pulpe d'orange,

En trois gorgées je déçois l'Aryen,

Pendant qu'il avale la sienne d'un seul trait.

Sans compter bien d'autres choses qui sont actuellement cachées à vos yeux. En attendant, mistress Mac Intosh a préparé le dîner. Venez et mangeons à la façon des gens du pays,—de ce pays auquel, soit dit en passant, vous ne comprenez rien.

La femme indigène mit la main dans le plat en même temps que lui.

Elle avait tort.

La femme doit toujours attendre que son mari ait mangé.

Mac Intosh Jellaludin s'excusa en disant:

—C'est un préjugé anglais que je ne suis pas encore parvenu à surmonter, et elle m'aime. Pourquoi? je ne l'ai jamais compris. Je me suis associé avec elle à

Jullundur, il y a trois ans, et elle est toujours restée avec moi depuis. Je la crois honnête, et je la sais experte en cuisine.

Tout en parlant, il caressa la tête de la femme qui roucoula doucement. Elle n'était pas jolie à voir.

Mac Intosh ne me confia jamais ce qu'il avait été avant sa déchéance.

Quand il n'avait pas bu, c'était un lettré et un gentleman.

Quand il était ivre, le lettré restait et l'emportait sur le gentleman.

Il avait l'habitude de s'enivrer deux jours par semaine. Dans ces occasions, la femme indigène le soignait, pendant qu'il délirait dans toutes les langues, excepté la sienne.

Un jour, pourtant, il se mit à déclamer *Atalante à Calydon* et débita la pièce d'un bout à l'autre, en marquant la mesure du vers avec un des pieds du lit.

Mais, le plus souvent, il délirait en grec ou en allemand.

L'esprit de cet homme était une véritable hotte de chiffonnier, où s'entassaient les haillons les plus inutiles.

Une fois, comme il revenait à l'état de lucidité, il me dit que j'étais le seul être raisonnable de l'*Inferno* où il était descendu,—un Virgile au pays des Ombres, selon lui, et que, pour m'indemniser de mon tabac, il me donnerait, avant de mourir, de quoi écrire un *Inferno* qui me rendrait plus grand que Dante.

Puis, il s'endormit sur une couverture de cheval et se réveilla parfaitement calme.

—Mon cher, dit-il, quand vous êtes arrivé au dernier degré de la dégradation, de petits incidents qui vous tracasseraient, dans une sphère supérieure, vous laissent parfaitement indifférent. La nuit dernière, mon âme était parmi les dieux, mais je suis tout à fait certain que mon corps bestial se vautrait ici-bas parmi les débris de légumes.

—Vous étiez abominablement gris, si c'est cela que vous voulez dire.

—J'étais ivre, ignoblement ivre. Moi, le fils d'un homme que vous ne pouvez pas approcher; moi, jadis membre d'un collège dont vous n'avez pas même vu l'arrière-cuisine, j'étais abominablement gris. Mais voyez combien j'en suis peu affecté. Cela n'est rien pour moi: c'est moins que rien, car je ne sens même pas la migraine qui devrait s'ensuivre. Eh bien, dans un milieu supérieur, quel châtiment cruel ne m'eût-on pas réservé! Comme mon repentir serait amer! Croyez-moi, vous, mon ami, dont l'éducation a été négligée, le plus haut est comme le plus bas, en supposant toujours qu'il s'agisse des véritables extrêmes.

Il se retourna sur la couverture, mit sa tête entre ses poings et reprit:

—Sur l'Ame que j'ai perdue, sur la Conscience que j'ai tuée, je vous jure que je suis *incapable* de sentir. Je suis comme les dieux, connaissant le bien et le mal, mais inaccessible à l'un comme à l'autre. Est-ce là un état digne d'envie, ou non?

Quand un homme ne reçoit plus l'avertissement du *mal aux cheveux*, il faut qu'il soit bien malade.

Je répondis à Mac Intosh, étendu sur sa couverture, les cheveux sur les yeux, et ses lèvres blêmes, que je ne voyais pas grand avantage à l'insensibilité.

—Je vous en supplie, ne dites pas cela! Je vous l'assure, c'est chose très bonne, très enviable. Songez à mes consolations.

—En avez-vous tant que cela, Mac Intosh?

—Certainement; vos efforts pour être sarcastique,—le sarcasme est, par excellence, l'arme de l'homme cultivé,—sont enfantins. J'ai, tout d'abord, mes connaissances, mon érudition classique et littéraire, brouillée peut-être par l'abus des boissons. Cela me rappelle que, la nuit dernière, avant que mon âme fût avec les dieux, j'ai vendu l'Horace de Pickering que vous aviez eu l'obligeance de me prêter. C'est Ditta Mull, le marchand d'habits, qui l'a. J'en ai eu dix annas, et on peut le ravoir pour une roupie. Mais enfin, elle est infiniment supérieure à la vôtre, cette érudition. En second lieu, l'affection éternelle de mistress Mac Intosh, la meilleure des épouses. Troisièmement, un monument plus durable que le bronze, et que j'ai construit pendant mes sept années de dégradation.

Il s'arrêta sur ces mots, et traversa la chambre d'un pas incertain pour aller boire de l'eau.

Il était très agité, très malade.

Il fit maintes allusions à son «trésor», à certain objet d'un grand prix qu'il possédait, mais je pris cela pour des divagations d'ivrogne.

Il était aussi pauvre, aussi fier qu'on pouvait l'être.

Ses manières n'avaient rien d'agréable, mais il en savait fort long sur les indigènes, parmi lesquels il avait passé sept ans de sa vie, et cela valait la peine qu'on fît sa connaissance.

Il ne parlait guère de Strickland qu'en riant, le traitant d'ignorant, «d'homme qui ignorait l'Occident et l'Orient».

Il se vantait, tout d'abord, d'être un homme d'Oxford, possédant des dons rares et brillants. Cela était peut-être vrai, mais je n'étais pas en mesure de contrôler ses assertions.

En second lieu, il se vantait d'avoir le doigt sur le pouls de la vie indigène, et c'était vrai.

En tant qu'élève d'Oxford, il me paraissait fat: il étalait toujours son éducation. En tant que fakir mahométan, en tant que Mac Intosh Jellaludin, il était exactement comme je le désirais pour mon but.

Il fuma plusieurs livres de mon tabac et m'apprit plusieurs onces de choses qui valaient la peine d'être connues, mais il ne voulut jamais accepter aucun de mes présents: pas même quand vint la saison froide, et que sa pauvre poitrine décharnée se contracta sous le mince habit d'alpaga.

Il se mit dans une grande colère, comme si je l'avais insulté, et dit qu'il n'entendait point aller à l'hôpital.

Il avait vécu comme une bête, et il prétendait mourir comme un être doué de raison, comme un homme.

La maladie qui le tua réellement, fut la pneumonie, et le soir de sa mort il m'envoya un papier sale où il me priait de venir le voir et de l'aider à mourir...

La femme indigène pleurait à côté du lit.

Mac Intosh, enveloppé dans une couverture de coton, était trop faible pour rejeter un manteau de fourrure qu'on étendit sur lui. Il montra une grande activité intellectuelle, et ses yeux pétillaient.

Quand il eut injurié le docteur, qui était venu avec moi, en termes si grossiers que le vieillard s'en alla indigné, il pesta pendant quelques minutes contre moi, puis se calma.

Alors il dit à sa femme d'aller lui chercher «Le Livre» qui était dans un trou du mur.

Elle en tira un gros paquet, enveloppé d'un jupon, et qui était composé de feuilles jaunies, toutes numérotées et couvertes d'une fine écriture convulsive.

Mac Intosh plongea sa main dans le tas, et le remua avec affection.

—Ceci, dit-il, c'est mon œuvre, le livre de Mac Intosh Jellaludin, où l'on apprend ce qu'il a vu, comment il a vécu, et ce qui advint à lui et à d'autres; c'est aussi le récit de la vie des péchés et de la mort de la mère Maturin. Ce qu'est le livre de Mirza Murad Ali Beg par rapport à tous les autres livres sur la vie des indigènes, mon livre le sera par rapport au livre de Mirza Murad Ali Beg.

C'était là une affirmation bien audacieuse, pour quiconque connaît le livre de Mirza Murad Ali Beg.

Les papiers ne paraissaient pas avoir grande valeur, mais Mac Intosh les maniait comme s'ils eussent été des billets de banque.

Alors il dit avec lenteur:

—Malgré les nombreuses lacunes de votre éducation, vous avez été bon pour moi. Je parlerai de votre tabac, quand j'arriverai parmi les dieux. Je vous suis redevable de bien des services. Mais je hais toute obligation. C'est pour ce motif que je vous lègue présentement ce monument plus durable que l'airain,—mon livre,—dont certaines parties sont encore à l'état d'ébauche imparfaite; mais les autres... comme elles sont précieuses! Je me demande si vous comprendrez... C'est un présent plus honorable que... Bah! où va donc s'égarer mon cerveau? Vous allez le mutiler horriblement. Vous en ôterez les perles que vous appelez «citations latines», philistin que vous êtes, et vous massacrerez le style pour le transformer en votre jargon sautillant. Mais vous n'arriverez pas à le défigurer entièrement. Je vous le lègue. Ethel!... Encore mon cerveau!... Mistress Mac Intosh, je vous prends à témoin que je lègue au *Sahib* tous ces papiers. Ils ne vous serviraient à rien, cœur de mon cœur. Et je vous les confie, reprit-il en s'adressant à moi, afin que vous ne laissiez pas périr mon livre dans son état actuel. Il vous appartient, sans condition. C'est l'histoire de Mac Intosh Jellaludin, qui n'est point l'histoire de Mac Intosh Jellaludin, mais celle d'un homme plus grand que lui, et d'une femme bien plus grande encore. Écoutez maintenant! Je ne suis ni fou ni ivre! Ce livre vous rendra fameux.

Je dis «merci» quand la femme indigène me mit le paquet entre les mains.

—Mon seul enfant! dit Mac Intosh en souriant.

Il s'affaiblissait rapidement, mais il ne cessa de parler tant qu'il lui resta du souffle.

J'attendis jusqu'à la fin, sachant que, dans six cas sur dix, un mourant demande sa mère.

Il se retourna sur le côté et dit:

—Racontez comment il est venu en votre possession. Personne ne vous croira, mais du moins mon nom vivra. Vous traiterez mon livre brutalement, je le sais. Il faut qu'une partie en disparaisse. Le public est sot et bégueule. Je me suis fait son esclave jadis. Mais faites ces amputations doucement, très doucement. C'est une grande œuvre, et je l'ai payée de sept ans de damnation.

Il cessa de parler pour respirer dix à douze fois, puis il se mit à marmotter une sorte de prière en grec.

La femme indigène pleurait amèrement.

Enfin, il se souleva sur son lit et dit d'une voix forte et lente:

—Suis innocent, monsieur le Président.

Puis il se renversa et resta dans le coma jusqu'à sa mort.

La femme indigène courut à travers le Séraï, parmi les chevaux, en poussant de grands cris et en se frappant les seins, car elle l'avait aimé.

Peut-être la dernière phrase de Mac Intosh indiquait-elle par où il avait passé, mais, à part le gros paquet de vieux papiers enveloppé de drap, il n'y avait rien dans la chambre qui pût m'indiquer ce qu'il avait été.

Les papiers étaient dans une confusion inextricable.

Strickland m'aida à les classer et dit que l'homme qui les avait écrits était un menteur fieffé ou un personnage des plus remarquables.

Il penchait pour la première opinion.

Un de ces jours, vous serez en état d'en juger par vous-mêmes.

Le paquet avait besoin d'être fortement expurgé. Il était plein d'absurdités en grec, en tête des chapitres. Elles ont été entièrement supprimées.

Si jamais cela paraît, certains se rappelleront la présente histoire, que l'on imprime afin qu'il soit bien établi que le Livre de la Mère Maturin a pour auteur Mac Intosh Jellaludin, et non point moi.

FIN

Milton Keynes UK
Ingram Content Group UK Ltd.
UKHW010707240424
441619UK00004B/345